O! Ryfedd Ras

O! Ryfedd Ras

Sylwedd anerchiadau a draddodwyd yng
Nghynhadledd Flynyddol Mudiad Efengylaidd Cymru
yn Aberystwyth, Awst 1996

J. Elwyn Davies

GWASG BRYNTIRION

Argraffiad Cyntaf 1998
ISBN 1 85049 141 0

Daw'r dyfyniadau o'r Testament Newydd o'r
Testament Newydd Diwygiedig (Gwasg Efengylaidd Cymru, 1991).

Cynlluniwyd y clawr gan:
Rhiain M. Davies
(Cain)

Y clawr blaen: Rhaeadr Niagara berfedd gaeaf,
trwy ganiatâd 'The Niagara Parks Commission' (gweler t.43)

Cyhoeddwyd gan Wasg Bryntirion
Bryntirion, Pen-y-bont ar Ogwr CF31 4DX
Argraffwyd gan Interprint Cyf., Malta

Cynnwys

Er cof
am Dafydd Elwyn
ac mewn diolchgarwch
am ei fywyd bach cyflawn
a chyfoethog

Rhagair

Y mae'n anrhydedd mawr i mi gael fy ngwahodd i gyfrannu rhagair i'r llyfr hwn, a hynny am ddau reswm. Yn y lle cyntaf, y mae gan ei awdur ddawn gwbl anghyffredin i ddirnad ac egluro gwirioneddau'r Ysgrythur. I raddau'n unig y mae'r ddawn hon yn seiliedig ar ysgolheictod beiblaidd, er nad yw hwnnw'n cael ei ddiystyru ganddo. Y mae'n seiliedig i raddau llawer mwy ar ddyfnder ei ymglywed â gwirioneddau'r efengyl yn ei ysbryd ef ei hun, ac ar ddwyster ei ddyhead i rannu'r gwirioneddau hyn—gwirioneddau sy'n dra sicr yn fater bywyd a marwolaeth i bob un ohonom—â'i gyd-Gymry. Hynny sy'n rhoi i'w lais y nodyn deublyg hwnnw o dreiddgarwch a dengarwch, ac sy'n peri bod gwrando arno'n aml yn brofiad dyrchafol ac adfywiol tu hwnt (er nad cysurus bob amser). Nid yr un peth yw darllen ei eiriau mewn print â gwrando arno yn y cnawd, ond y mae cael eu darllen mewn print, hyd yn oed, yn llawer iawn gwell na chael ein hamddifadu ohonynt yn llwyr!

Y mae'r ail reswm yn fwy personol. Ar ddechrau'r llyfr y mae'r awdur yn disgrifio'r cyffro ysbrydol yng Nghymru ddiwedd pedwardegau'r ganrif hon, cyffro y bu iddo ef—er na fyddech, o bosibl, yn meddwl hynny o ddarllen yr hyn a sgrifennodd yma—ran arweiniol ynddo. Dyma'r cyffro a roes fod i'r *Cylchgrawn Efengylaidd* ac yna i Fudiad Efengylaidd Cymru, a lywiodd ef mewn ffordd mor greadigol a doeth am ddeugain mlynedd a mwy. Yn ystod y cyffro hwnnw, a than ei arweiniad ef, y deuthum innau'n grediniwr, ac er na fu fy ngyrfa i fel Cristion agos mor ffrwythlon â'i un ef, y mae'r ffaith yn aros fod arnaf ddyled iddo na allaf byth mo'i had-dalu. A benthyg—yn haerllug braidd—eiriau'r diweddar Pennar Davies:

O diolch iti, gyfaill, diolch iti:
Tydi a'm dug i'r Tad sydd wrth y llyw.

Braint ddwbl i mi felly yw cael llunio hyn o nodyn yn rhagair i gyfrol wir bwysig.

Aberystwyth — R. GERAINT GRUFFYDD

Diolchiadau

Y mae'n hyfrydwch medru manteisio ar y cyfle hwn i gydnabod yn ddiolchgar y cymorth a dderbyniais wrth baratoi'r gyfrol fechan hon. Y mae fy nyled i'm cyfaill y Dr R. Geraint Gruffydd yn fawr iawn, nid yn unig am gytuno i lunio rhagair ac am ei eiriau gorgaredig ond am sawl awgrym gwerthfawr ynghylch y deunydd, a heb ei ofyn am fwrw llygad barcud dros yr iaith a chywiro brychau lawer. Hefyd i ddau gyfaill arall, y Parch. Gwilym Ll. Humphreys am ei gefnogaeth garedig ac i'r Parch. Gareth H. Davies am dynnu fy sylw, flynyddoedd yn ôl, at eiriau gwerthfawr y Parch. William Roberts, Amlwch, a ddyfynnir yn yr atodiad cyntaf ar ddiwedd y gyfrol.

Ni fyddai'r gyfrol hon fyth wedi gweld golau dydd oni bai am frwdfrydedd heintus a chymwynasgarwch fy mab-yng-nghyfraith, John Emyr. Iddo ef y mae'r diolch am fugeilio'r cyhoeddiad o gam i gam a mawr yw fy mraint yn medru ymddiried y dasg i ddwylo un mor brofiadol yn y maes. Yn hyn o beth fe'i cynorthwywyd yn barod iawn gan Joan Hughes yn Llangefni a chan Mair Jones yn swyddfa'r Mudiad ym Mhen-y-bont ar Ogwr. Yn achos yr olaf nid oedd hyn ond ychwanegu un gymwynas arall at gymwynasau dirifedi deugain mlynedd a rhagor o gydweithio â'n gilydd yng ngwaith y Mudiad, profiad a fu'n hyfrydwch pur i mi.

Yna, a dod yn nes adref, diolch i'r teulu i gyd am eu cefnogaeth, ac i'm merch Rhiain yn arbennig felly am ei gwaith cymen yn cynllunio'r clawr. Yn bennaf, diolch i'm gwraig, Mair, am ei chefnogaeth gadarn, ddiffwdan, nid yn unig i'r gwaith hwn o'i ddechrau ond i'm gweinidogaeth, ym mhob agwedd arni, trwy flynyddoedd ein bywyd priodasol. Os cafodd rhywun erioed ymgeledd cymwys yn ei wraig, fe gefais i. Y mae fy niolch am hyn yn dod yn ail yn unig i'r diolch am gael y gras i gredu.

Rhagarweiniad

'Pan fo unrhyw beth godidog yn ymddangos mewn unrhyw waith, fe'n goddiweddir yn y funud ag edmygedd, a meddyliwn na all y cyfryw beth fyth gael ei ddiarddel gan Dduw. Ond ni all Duw, nad yw'n edrych byth ond ar burdeb mewnol y galon, roi sylw i fwgwd allanol gweithredoedd.'
(John Calfin, 1509–1564)

Ychydig fisoedd wedi traddodi sylwedd y cenadwrïau a geir yn y gyfrol hon, digwyddodd rhywbeth a aeth â mi yn ôl i'r dyddiau pryd y'm gorfodwyd innau, fel llawer un arall o'm blaen, i wynebu cwestiwn eneidiol sylfaenol iawn a newidiodd gwrs fy mywyd yn llwyr. Rhag ofn y gallai fod o gymorth i eraill wynebu'r un cwestiwn, penderfynais adrodd yr hanes fel rhagarweiniad i'r cenadwrïau sy'n dilyn.

Cychwynnodd un bore pan oeddwn yn eistedd wrth fy nesg yn y stydi. Un o ohebwyr y *Caernarfon and Denbigh Herald* oedd ar y ffôn eisiau gwybod a oedd yr enw Ekkehard Kockrow yn golygu rhywbeth i mi. Fe gymerodd eiliad neu ddau i mi ystyried at bwy roedd o'n cyfeirio. Yna mi gofiais—wrth gwrs, y carcharor rhyfel o'r Almaen y deuthum yn ffrindiau mawr ag o, pan oedd yn gweithio ar fferm Parciau-bach, ger Caernarfon, yn union wedi'r rhyfel, hanner can mlynedd yn ôl! 'Mae ei ferch', meddai'r gohebydd, 'wedi ysgrifennu i ofyn a allem ddod o hyd i chi.' Yn ddiweddarach y deuthum i ddeall fod yna druth i'r perwyl hwnnw wedi ei gyhoeddi'n barod yn y *Caernarfon and Denbigh*!

Chymerodd hi fawr o amser i Ekkehard a minnau ddod i gysylltiad â'n gilydd, a chyn bo hir roedd trefniadau helaeth ar y gweill iddo ddod ar ymweliad i Gaernarfon, fel y gallem adnewyddu'n cyfeillgarwch—y ddau ohonom bellach yn ein saithdegau! Yn naturiol ddigon roedd 'na edrych ymlaen eiddgar at y cyfarfyddiad, a phawb a glywodd am y bwriad—gan gynnwys y cyfryngau—yn dangos cryn ddiddordeb. Fel y dywedodd mwy nag un, roedd hi'n stori dda.

Ond roedd un peth yn fy mhoeni'n fawr iawn. Ac egluro beth oedd yr un peth hwnnw yw fy mwriad.

Y carcharor rhyfel

I wneud cyfiawnder â'r hanes, gwell i mi ddechrau trwy egluro sut y bu i Ekkehard a minnau gwrdd â'n gilydd y tro cyntaf. Yn 1946 cafodd nifer ohonom, oedd yn aelodau o Fudiad Cristnogol y Myfyrwyr yng Ngholeg y Brifysgol, Bangor, ein hargyhoeddi y dylem, fel rhan o'n tystiolaeth Gristnogol, fynd ati i gasglu bwyd a dillad i'w hanfon i'n cyn-elynion yn yr Almaen—lai na blwyddyn, sylwer, oddi ar ddiwedd y rhyfel. Gymaint fu'r difrod yn nhrefi mawr y wlad honno fel bod y rhan helaethaf o'r boblogaeth yn gorfod byw ar fil a hanner calori y dydd ac mewn tlodi enbyd.

Gan fod y tanbeitiaf o'r cwmni yn byw heb fod ymhell o'r ardal, penderfynwyd dechrau trwy fynd o dŷ i dŷ ym mhentref Pen-y-groes, ger Caernarfon. Doedd hi ddim yn waith hawdd curo wrth ddrws cartrefi rhai a allasai—am ddim a wyddem ni—fod wedi colli perthnasau agos yn y rhyfel, a hynny ar law'r Almaenwyr. Ond fe'i gwnaed, a hynny'n drylwyr iawn, gan ddychwelyd drannoeth i unrhyw dŷ lle na chawsom ateb wrth alw'r tro cyntaf. Cafwyd ymateb rhyfeddol o hael: erbyn diwedd yr ymgyrch roedd byrddau trestl Festri Capel y Bedyddwyr yn gwegian dan y pwysau.

Yn ddiweddarach cafwyd caniatâd i anfon myfyriwr i wneud apêl am fwyd a dillad i holl eglwysi anghydffurfiol Caernarfon a Bangor. Y ddealltwriaeth oedd y buasai'r myfyrwyr yn casglu'r addewidion yn ystod yr wythnos ac yn mynd yn gyfrifol am eu hanfon ar eu taith.

Pan alwodd un o'r myfyrwyr i gasglu'r rhoddion addawedig yn y fferm lle roedd yn gweithio, dyna pryd y daeth Ekkehard—y carcharor rhyfel—i glywed am y gweithgarwch. Felly y daethom ninnau'n ffrindiau. Fe fu yn fy nghartref yng Nghaernarfon droeon. Er nad oedd i grwydro ymhell o'r fferm, rwy'n ofni i ni'n dau fwynhau pryd o fwyd blasus iawn yn hen Gaffi'r Bwtri yn Stryd Fawr, Bangor—ar waetha'r ddau swyddog Prydeinig a ddaeth i gadw cwmni i ni, ar y bwrdd agosaf ond un!

'Von euren Freunden'

Ar bob dilledyn, neu becyn o fwyd, fe roddid tamaid o bapur ac arno'r geiriau 'Von euren Freunden in Pen-y-groes, North Wales' (Oddi wrth eich cyfeillion ym Mhen-y-groes, Caernarfon neu Fangor fel oedd yn addas). 'Bitte antwortet—Elwyn Davies, Coleg Bala-Bangor, Bangor, Wales' (Atebwch os gwelwch yn dda—a'm henw a'm cyfeiriad yn dilyn). Ymhen dim o dro, a chyn i Ekkehard ddychwelyd i'r Almaen ym mis Rhagfyr 1946, roedd yr atebion wedi dechrau cyrraedd—bob un ohonynt wedi eu cyfeirio at Frau neu Fraulein Elwyn Davies—achos cryn dipyn o dynnu coes ymhlith y myfyrwyr fel y gellir dychmygu! Ein harfer wedyn oedd rhannu'r atebion ymhlith y myfyrwyr a gadael i'r myfyrwyr eu hunain fabwysiadu un o'r teuluoedd ac, os oedd hynny'n bosibl, eu cynorthwyo ymhellach.

Gan fod nifer helaeth o'r atebion cyntaf yn dod o Berlin, crybwyllais wrth Ekkehard hwyrach y gallaswn ddod i edrych amdano. Yr oeddwn i gynrychioli Cymdeithas Gristnogol y Myfyrwyr yng Nghynhadledd Ieuenctid Cristnogol y Byd yn Oslo yr haf canlynol (1947): roedd teithio oddi yno i'r Almaen, a mynd i weld rhai o'r teuluoedd a ysgrifennodd atom, yn ymddangos yn bosibilrwydd.

Ymhen y rhawg, dyna ddigwyddodd. Ond cyn y gellid mynd i mewn i'r Almaen y dyddiau hynny, rhaid oedd cael caniatâd y 'Control Commission for Germany'. Ac un ffordd o sicrhau hynny fyddai trwy fynd fel gohebydd papur newydd. Er mawr lawenydd i mi cytunodd *Y Faner* i'm penodi'n ohebydd dros dro i'r wlad honno. O ganlyniad ymddangosodd colofn dan fy enw o'r Almaen mewn sawl rhifyn o'r *Faner*. Dros gyfnod fy arhosiad mwynheais innau holl freintiau gohebwyr papurau newydd o bob rhan o'r byd!

Rhaid i mi gyfaddef mai gyda chryn dipyn o swildod yr awn heibio'n slei bach i'r bwrdd-du oedd yng nghyntedd yr 'Hotel Amzoo' lle roedd y gohebwyr yn aros a gweld fy enw, ac enw'r *Faner*, wedi ei osod ochr yn ochr ag enwau rhai o ohebwyr enwocaf papurau Llundain. Ond fe ddiflannodd pob swildod pan groesawyd fi'n ddiweddarach i rai o'r cartrefi—hofelau gan amlaf—a rhai o'r trigolion yn mynd i chwilio am eu rhoddion: pâr o esgidiau, fel a ddigwyddodd mewn un enghraifft, wedi eu cadw'n ofalus mewn bocs dan y gwely, yng nghornel yr ystafell, a'r tamaid papur o Ben-y-groes wedi ei bastio rhwng y wadn a'r sawdl.

Bwrw dy fara

Ekkehard, a gyfarfûm yng Nghaernarfon flwyddyn ynghynt, oedd yn fy hebrwng o amgylch y cartrefi yn Berlin. Yr un Ekkehard ag a oedd wedi ysgrifennu atom o'i wersyll olaf yn Leicester yn Rhagfyr 1946 ac yntau ar ei ffordd adref: 'Mae eich rhoddion o ddillad a bwyd i bobl dlawd gwlad fy ngenedigaeth yn cynhesu fy nghalon. Chi oedd y bobl gyntaf yn y byd i estyn allan eich dwylo mewn cymod tuag atom ni'r Almaenwyr. Pan oedd casineb tuag atom ar ei waethaf, anfonasoch y parseli cyntaf i'r Almaen. Fel cyn hynny, fe ddarfu i chi gredu yn y grymusterau daionus oedd yn fy mhobl. Wnaethoch chi ddim gofyn am gyfaddefiad o euogrwydd neu wneud iawn. Yr hyn wyddech chi oedd: bod yna bobl mewn angen oedd raid eu cynorthwyo. Mae'r llythyrau o ddiolch sydd yn eich cyrraedd yn awr o'r Almaen yn dweud wrthych eich bod wedi dod o hyd i ffordd i mewn i'w calonnau cloëdig.'

Fe wnaiff y llythyr canlynol, a dderbyniais o Awstralia yn 1969, egluro'n well nag unrhyw eiriau o'm heiddo i yr hyn a olygodd y mân roddion (a dyna'r cyfan oedden nhw ar y gorau) i'r sawl a'u derbyniodd: '6 Springfield Ave. Blacktown, N.S.W. 2184. Australia. Annwyl Syr, Dymunaf fynegi diolchgarwch am y weithred garedig a wnaethoch chwi ac "Euren Freunden, in Pen-y-groes, N. Wales". Digwyddodd yn ôl yn 1947 pan oeddem ni yn gwbl ddiymgeledd mewn gwersyll ffoaduriaid yn Awstria. Yn ystod y gaeaf gerwin hwnnw roedd bwyd a dillad cynnes yn brin iawn ac fe werthfawrogwyd eich dilledyn yn fawr iawn. Mae'r dyddiau llwm hynny yn ôl yn y gorffennol pell, ac erbyn hyn rydym wedi llunio bywyd newydd i ni ein hunain yn "Awstralia Heulog" lle bu bywyd yn garedig wrthym a lle y chwyddodd ein nifer. Ond wrth ddod ar draws y tamaid papur a amgaeaf teimlais mai'r peth lleiaf a allwn ei wneud oedd mynegi ein gwerthfawrogiad, oherwydd "pan oeddwn yn oer dilladasoch fi". Gobeithiwn a gweddïwn y caiff y weithred hon o garedigrwydd ei gwobrwyo'n deilwng.'

Cystal i mi gyfaddef mai'r hyn a ysgrifennodd Edward Schuch ym mrawddeg ola'r llythyr, cyn iddo'i arwyddo, oedd 'We hope and pray that this act of kindness will not be unduly rewarded'! Er y gellir deall yr ymadrodd 'not unduly rewarded' mewn dwy ffordd, fel Cymro Cymraeg sy'n gwybod beth yw ymdrechu i gyfleu meddwl mewn ail iaith (pa mor hyddysg bynnag y gallwn fod yn ei throadau), mentrais ei gyfieithu yn y ffordd y buasai ef ei hun, yn ôl pob tebyg, yn ei ddymuno!

Os parodd darllen y frawddeg honno am y tro cyntaf i mi wenu braidd, anodd fyddai rhoi mewn geiriau yr hyn a deimlem wrth ddal y tamaid papur yn ein llaw. Cychwynnodd ar ei daith yng Ngwynedd yn 1946; gwelodd dlodi mawr yn Awstria; diogelwyd ei ddwy fodfedd sgwâr am dair blynedd ar hugain; fe'i cafodd ei hun yn Awstralia bell; wedi dweud ei neges—dychwelodd i Gymru. 'Bwrw dy fara ar wyneb y dyfroedd,' medd Llyfr y Pregethwr, 'canys ti a'i cei ar ôl llawer o ddyddiau.' Dim ond i mi gofio nad fy mara i oedd, ond bara pobl Pen-y-groes, Caernarfon a Bangor.

Ond nid y tamaid papur dwy fodfedd sgwâr yn unig oedd yn

dychwelyd i Gymru erbyn hyn. Wedi colli cysylltiad â'n gilydd ers blynyddoedd lawer, wedi ofni lawer gwaith ei fod yn debygol o fod yn byw yn Nwyrain yr Almaen ac wedi newid yn llwyr, roedd Ekkehard nid yn unig yn fyw ac yn gymharol iach ond dan deimladau dwys iawn a'i fryd ar ddod yn ôl i Gymru i'n gweld. Ac wrth edrych ymlaen at y cyfarfyddiad hwnnw, fel y cyfaddefais eisoes, roedd un pryder cysegredig iawn yn pwyso ar fy meddwl innau. Ac, fel y carwn egluro, nid pryder di-alw-amdano mohono chwaith, ond pryder cyfrifol.

Beth allasai'r pryder hwnnw fod meddech? Yn sicr nid pryder a fyddem yn adnabod ein gilydd wedi'r holl flynyddoedd; nac ychwaith, bellach, a fyddai'r gyfatebiaeth ysbryd a oedd rhyngom hanner can mlynedd yn ôl yno o hyd. Beth ynteu?

Cyn ei gyfaddef, gair neu ddau o rybudd yn gyntaf. Un o hoff ymadroddion pobl Caernarfon pan oeddwn i'n fachgen oedd, 'Twt lol'. Gallaf eu clywed yn ei ddweud yn yr un oslef ddiamynedd heddiw, 'Paid â bod mor wirion—poeni am betha fel 'na.' Peth anodd ydi cydymdeimlo ynghylch rhywbeth sy'n golygu'r nesaf peth i ddim i ni'n hunain ar y pryd—yn enwedig felly os yw achos y pryder yn ymddangos yn gwbl ddi-sail.

Pryder cysegredig

Fy mhryder gwirioneddol oedd, a allai Ekkehard gredu nad oeddwn i yn Gristion pan fu iddo fy nghyfarfod am y tro cyntaf yng Nghaernarfon. Ac nid yn unig a allai Ekkehard gredu hynny ond a allai'r bobl a ddeuai i glywed am y gweithgarwch hanner can mlynedd yn ôl—a'i ganmol—gredu hynny am un, o leiaf, a oedd yn cymryd rhan flaenllaw yn y gwaith, ac, yn fwy na hynny, oedd a'i fryd ar y weinidogaeth?

Fe'i gelwais yn bryder cysegredig. Fy rheswm dros ddefnyddio'r ymadrodd hwnnw yw hyn. Trwy'r gweithgarwch hwnnw yn anad dim y cefais fy nwyn i gydnabod, am y tro cyntaf erioed yn iawn, y fath un oeddwn i a pha mor fawr oedd fy angen am yr iachawdwriaeth y mae Duw wedi ei pharatoi ar gyfer rhai tebyg i mi yn Iesu Grist. Dyma'r hanes.

Yr oeddwn yn dychwelyd ar gefn fy meic i Gaernarfon wedi bod wrthi trwy'r dydd yn mynd o gylch y tai ym Mhen-y-groes, yn casglu'r rhoddion. Fel yr oeddwn yn gyrru i lawr yr allt i gyfeiriad tro Pont Seiont, ryw filltir o'r dre, dyma lais yn gofyn i mi, 'Pam wyt ti'n gwneud y gwaith yma?' Dyna i gyd. Doedd o ddim yn llais fel yr ŷm ni'n gyfarwydd â lleisiau. Nac oedd: roedd o'n fwy treiddgar a diymwad na'r un llais a glywais i erioed. Mi wyddwn, y funud honno, pam fod y cwestiwn yn cael ei ofyn. Ac mi wyddwn beth fyddai raid i'r ateb fod. Gwyddwn hefyd nad oedd raid i mi ateb. Roedd y sawl oedd yn gofyn y cwestiwn yn gwybod yr ateb.

Theimlais i erioed fwy o gywilydd ohonof fy hun. I feddwl mod i, ar gefn tlodi rhai oedd yn marw o newyn, am wneud enw i mi fy hun—a'i wneud, yn honedig felly, yn enw caru gelyn: fy nghalon falch yn barod i ecsbloetio'r anghenus i ennill clod dynion. Dinoethwyd fy hunan-dyb yn llwyr. Gwelais lygredd fy nghalon fel nas gwelais ef erioed o'r blaen.

Er fy mod yn pregethu bob Sul, ac yn gyfrifol am gynnull dros ddeg a thrigain o fyfyrwyr i gwrdd gweddi yn ystafell allanol Coleg Bala-Bangor erbyn chwarter wedi saith bob bore Sadwrn, y gwir plaen oedd nad oeddwn i erioed wedi wynebu'r cwestiwn, beth oedd cyflwr fy nghalon i fy hun; beth ydoedd byw yn dda mewn gwirionedd; beth yw gofynion Duw. Er yn allanol grefyddol a rhinweddol, yr hunan oedd ar yr orsedd.

Yn araf, deuthum i sylweddoli dau beth. Yn gyntaf, fod yna Dduw i'w gael sy'n gweld y cyfan. Fe fedrwn daflu llwch i lygaid ein cyfeillion agosaf, a hyd yn oed ein twyllo'n hunain. Fedrwn ni ddim twyllo Duw. Yn ail, ei fod yn mynnu cariad gwir sy'n gwrthod y demtasiwn i geisio clodydd dynion—cariad ato Ef ei hun yn gyntaf ac yna at bawb arall.

Gryn dipyn yn ddiweddarach y deuthum i sylweddoli mai trwy nerth yr Ysbryd Glân yn unig y gallwn i a'm tebyg wybod dim am y cariad a'r cyfiawnder hwnnw. Cyn i hynny ddigwydd roedd yn rhaid fy nwyn i'r man lle y byddwn yn fwy na pharod i ildio fy mywyd i Dduw (am y tro cyntaf sylwer) a phrofi'r llawenydd o wybod ei fod Ef, nid yn unig wedi fy nerbyn, ond hefyd wedi maddau fy holl bechodau. Fe ddigwyddodd hynny y Pasg canlynol (1947) mewn encil i fyfyrwyr ym Mhlas-y-nant, Betws Garmon.

Edrych yn ôl

Wedi oes bellach o brofi mor odidog yw'r bywyd o geisio dilyn Iesu Grist a'i wasanaethu, rwy'n rhyfeddu wrth gofio pa mor gyndyn oeddwn i yn y blynyddoedd hynny i wrando ar y sawl oedd yn ceisio fy argyhoeddi bod yn rhaid i rywbeth mawr ddigwydd i mi cyn y byddai hynny'n wir amdanaf. Roedd yna rai, prin eu nifer mae'n wir (ond detholedig gan Dduw), a fynnai fy sicrhau bod yn rhaid i mi ddod i adnabod Iesu Grist fel Gwaredwr personol, neu bod yn rhaid i mi gael fy aileni, neu hyd yn oed gael fy achub—termau a oedd wedi eu hesgymuno o grefydd anghydffurfiol Cymru ers degau o flynyddoedd. Llwyddais i gael llonydd ganddynt lawer gwaith, naill ai trwy eu hosgoi, neu trwy eu lled-berswadio fod hynny'n wir amdanaf eisoes.

Yn ddiweddarach y deuthum i sylweddoli bod y Testament Newydd yn dysgu bod y cyndynrwydd yma yn nodweddu pawb ohonom wrth natur. Nid y Testament Newydd yn unig sydd yn cyhoeddi hynny. Pa sawl gwaith, dros yr hanner canrif a aeth heibio, y gwelais bobl dda—yn ôl safonau'r byd—a phobl honedig grefyddol yn ffromi'n enbyd wrth iddynt gael eu hwynebu â'r un gwirioneddau.

Mae'r ffaith fod dyn mor wrthryfelgar, ynddo'i hun yn profi bod dynion yn gwybod yn reddfol beth sydd yn y fantol pan gânt eu hwynebu â safonau Duw. Mae'n profi hefyd fod dyn, wrth natur, yn gwrthwynebu—onid yn casáu—y wybodaeth honno. Dyna'n gywir yr hyn y mae'r apostol yn ei ddysgu yn Rhufeiniaid 1 a 2—bod dyn yn gwybod llawer mwy am ofynion Duw nag y mae'n barod ei gyfaddef, a'i fod yn eu gwrthod. Felly minnau, er mawr gywilydd i mi.

Yr hyn sydd yn fy synnu lawn cymaint (os nad mwy) wrth

edrych yn ôl ar y dyddiau hynny yw pa mor fach oedd nifer y rhai oedd yn barod i roi ger fy mron hawl Duw i gael y lle cyntaf yn fy mywyd. Yn waeth na hynny, pa mor ddiffygiol fu'r sawl a ddylasai fod wedi gwneud hynny, ar adegau pan oedd gwir ofyn am hynny; er enghraifft, wrth gael fy nerbyn yn gyflawn aelod o'r eglwys; wrth gael fy ystyried fel ymgeisydd am y weinidogaeth. Y gwir yw fod angen hynny—a'i angen yn ddybryd—arnaf i, ac ar bawb arall, pe na bai sôn am aelodaeth eglwysig na galwad i'r weinidogaeth.

Pryder cyfrifol

Mae hyn yn fy arwain yn uniongyrchol at y pryder a deimlwn wrth edrych ymlaen at gyfarfod Ekkehard unwaith eto. Fe'i gelwais yn bryder cysegredig a cheisiais esbonio paham. Fe'i gelwais hefyd yn bryder cyfrifol. Pam hynny meddech? Dyma'r ateb. Pe bawn yn mynd ati i geisio esbonio fy mhrofiad ysbrydol hanner can mlynedd yn ôl, yng nghyd-destun ei gyfarfod, pwy fuasai yn barod i wrando arnaf? Ceisiais wneud hynny pan ofynnodd cynrychiolydd *Radio Wales* i mi a oedd gweithgarwch y cyfnod hwnnw wedi bod yn foddion i'm harwain yn ddiweddarach i gymryd rhan lled-flaenllaw yn y Mudiad Efengylaidd. Ddefnyddiwyd mo'r ateb.

Y farn gyffredinol yng Nghymru ers blynyddoedd lawer ydi: os oes yna unrhyw beth sy'n profi fod dyn yn Gristion, gweithredoedd da yw'r peth hwnnw. Onid oedd yr esiampl a roesom, fel myfyrwyr ifainc, yn enghraifft odidog o hynny ar ei orau? Pa eisiau wedyn dynnu dan draed y dystiolaeth honno?

Rhaid i mi fy hun gyfaddef ei fod o'n cyffwrdd rhywun i glywed Ekkehard yn egluro i'r cyfryngau mai'r rheswm pennaf paham na ddaeth yn ôl ynghynt i Wynedd oedd—ofn y cawsai'r atgofion (a fu'n foddion i'w gadw mewn llawer awr o demtasiwn) eu tanseilio. Gwell oedd ganddo gadw'r atgofion yn felys na mentro'u colli.

Ydi o'n wir felly ddweud nad oes dim sy'n profi'n well fod

dyn yn Gristion na gweithredoedd da? Ydi, a nac ydi. Ydi'n sicr, ym mywydau'r sawl sydd wedi ildio'u bywydau i Dduw, sy'n sylweddoli pa mor uchel ym mlaenoriaethau Duw ar gyfer ei bobl yw gweithredoedd da. Nac ydynt, yr un mor sicr, i'r sawl sydd yn cyflawni gweithredoedd cymeradwy a da yn eu perthynas â'u cyd-ddynion, ond sydd yn gadael y Duw, sydd yn hawlio'r lle blaenaf yn eu serchiadau, allan o'u bywyd yn gyfan gwbl. Dichon bod ganddynt hwythau 'dduw' i dalu gwrogaeth iddo'n achlysurol: 'duw' o'u gwneuthuriad eu hunain. Nid Duw a Thad ein Harglwydd Iesu Grist mohono.

Mae'n hawdd deall paham fod dynion yn barotach i feddwl bod ymddwyn yn weddol rinweddol tuag at ei gilydd yn ddigonol—a gadael hawliau Duw allan ohoni yn gyfan gwbl. Yn un peth mae hunan-les goleuedig yn gweld y byddai hynny yn y pen draw yn fanteisiol. Hynny sydd i gyfrif, i raddau helaeth, am yr holl siarad sydd ymhlith gwleidyddion o bob plaid, y dyddiau hyn, am ddiogelu gwerthoedd moesol a'u dysgu yn yr ysgolion. Pa fath o gymdeithas fydd gennym heb safonau moesol! Ac os yw crefydd rhai yn eu sicrhau—fel y gwna addysg a gwell amodau byw i eraill—mynnwn le iddo ar bob cyfrif. Ein hawddfyd a'n diogelwch ni sy'n bwysig. Dyn sydd ar yr orsedd. Prin iawn yw'r lleisiau sy'n dadlau hawliau Duw dros ei greadigaeth ac, yn fwyaf neilltuol, dros ddyn—pencampwaith ei greadigaeth. Prinnach fyth yw'r lleisiau sy'n mynnu bod Duw i gael y lle cyntaf yn ein bywydau.

Rwy'n credu mai Charles Hodge yw ffynhonnell un o'r eglurebau gorau a welais i erioed i egluro'r sefyllfa. 'Dychmygwch,' meddai, 'long yn mynd ar siwrnai bell yng ngwasanaeth Cwmni masnachol. Yn sydyn caiff ei goddiweddyd gan fôr-ladron, a hwy bellach sy'n ei rhedeg i'w dibenion eu hunain gan ddiystyru hawliau'r Cwmni'n gyfan gwbl.' Dyma'r ergyd. 'Mae'n debyg,' meddai, 'y caech lawer enghraifft o feddylgarwch a charedigrwydd rhwng y môr-ladron a'i gilydd, ond o safbwynt y Cwmni roedd yr holl fordaith yn anghyfiawn.' Dyna ddyn yn ei berthynas â Duw. Pa mor dderbyniol bynnag y gall ei ymddygiad fod yn ei berthynas â'i gyd-ddynion, mae sylfaen ei holl fywyd yn anghyfiawn. Ac anghyfiawn fydd—a phechadur yw ei enw—hyd nes y daw i gydnabod hawl Duw ar ei fywyd.

Ac y mae Duw yn ddig. Fe fyddech yn disgwyl i benaethiaid y Cwmni fod yn anfodlon, oni fyddech? Mae Duw yn anfodlon hefyd ac yn ddig—bod dyn wedi trawsfeddiannu ei eiddo a difetha cymaint o'r hyn a fwriadodd nid ar gyfer yr amgylchfyd yn unig, fel y carai rhai i ni gredu, ond ar gyfer dynoliaeth! Beth sy'n waeth na dod adref i dŷ a ysbeiliwyd yn ddidrugaredd gan ladron? Y cyfan yn llanast o'ch cwmpas, pryd y gallasai, ac y dylasai, fod mor wahanol. 'Un peth,' meddai athrawes wedi profiad blynyddoedd o ddysgu plant, 'sy'n fy nghythruddo'n fwy na dim: gweld y plant yn difetha gwaith da rhywun arall.' Mae Duw yn ddig. Os caf ddyfynnu'r apostol unwaith yn rhagor, o'r penodau y cyfeiriais atynt yn barod, 'Canys digofaint Duw a ddatguddir o'r nef yn erbyn pob annuwioldeb ac anghyfiawnder dynion, y rhai sydd yn atal y gwirionedd mewn anghyfiawnder' (Rhuf. 1:18).

Na, nid pryder di-sail oedd fy mhryder wrth feddwl am wynebu o'r newydd—ac i raddau gerbron y cyhoedd y tro hwn—yr hyn a ddigwyddodd i mi hanner can mlynedd yn ôl. A ninnau'n gwneud gwaith mor gymeradwy, pwy fuasai'n barod i gredu nad oeddwn i'n Gristion? Pwy fuasai â'r amynedd, erbyn heddiw, i ystyried y fath gwestiwn dibwys? 'Twt lol!'

Y carcharor arall

Ond y gwir oedd, doeddwn i ddim yn Gristion, a fuaswn i ddim wedi dod yn Gristion chwaith oni bai i mi gael fy ngorfodi i wynebu cyflwr fy nghalon, a hynny yng ngoleuni, nid gofynion cymdeithas nac ychwaith ofynion crefydd ddirywiedig ein dydd, ond gofynion Duw. Er dweud fy mod yn credu yn Iesu Grist, doeddwn i ddim hyd yn oed yn rhoi amser i wrando arno. Doedd yr hyn oedd ganddo i'w ddweud wrthyf ddim yn ddigon pwysig yn fy ngolwg i mi wneud hynny. Fe wnâi'r tro'n ardderchog fel pwnc trafod (a dadlau) neu faes darlithiau ond nid byth fel maeth i enaid. Doedd dim gobaith chwaith y deuwn i gydnabod yr angen am gael fy ngwneud yn wahanol (yn dda ac yn lân oddi mewn) tra oeddwn mor enbyd o hunan-gyfiawn.

Neges fawr Iesu Grist oedd fod rhaid gwneud y pren yn dda yn gyntaf, yna, ac nid cynt, fe fyddai'r ffrwyth yn dda. 'Rhoddwch elusen o'r pethau sydd oddi fewn; ac wele, pob peth sydd lân i chwi,' meddai wrth ei ddisgyblion (Luc 11:41), gan bwysleisio mai'r hyn sydd yn y galon sy'n penderfynu gwerth gweithredoedd. 'Pob pren da sydd yn dwyn ffrwythau da,' meddai ar ddechrau ei weinidogaeth (Math. 7:17), gan bwysleisio eto yr angen am i ddynion gael eu gwneud yn bren da cyn y gallant obeithio dwyn ffrwythau da.

Ddywedwyd dim mwy o wirionedd am ddyn gan neb erioed. Doedd fy nghalon i ddim yn dda—mwy nag yr oedd calonnau'r Phariseaid a'r gau broffwydi'n dda. Er bod y ffrwyth yn ymddangos yn dda ar yr wyneb, ffrwyth drwg oedd o yng ngolwg Duw. Heb air o ormodiaith, fy unig obaith oedd profi'r hyn a fynegir mor afaelgar o glir yn y weddi geir ar ddiwedd yr Epistol at yr Hebreaid, 'A Duw'r heddwch . . . a'ch perffeithio [hwy eu hunain yn cael eu gwneud yn gyfiawn] ym mhob gweithred dda, i wneuthur ei ewyllys ef, gan weithio ynoch [sylwer—'ynoch'] yr hyn sydd gymeradwy yn ei olwg ef, trwy Iesu Grist, i'r hwn y byddo'r gogoniant yn oes oesoedd' (Heb. 13:20-21).

Carcharor oeddwn innau heb erioed gymhwyso i mi fy hun y gobaith sydd yng ngeiriau syfrdanol Iesu Grist amdano'i hun: 'Ysbryd yr Arglwydd sydd arnaf fi, oherwydd iddo fy eneinio i; i bregethu i'r tlodion yr anfonodd fi, i iacháu'r drylliedig o galon, i bregethu gollyngdod i'r caethion, a chaffaeliad golwg i'r deillion, i ollwng y rhai ysig mewn rhydd-deb, i bregethu blwyddyn gymeradwy yr Arglwydd' (Luc 4:18-19). Y *curriculum vitae* godidocaf, y cywiraf a'r mwyaf dibynadwy a gyhoeddwyd erioed.

Sut fu hi rhyngom pan fu i Ekkehard a minnau gyfarfod y tro hwn a chael ein croesawu ar lawnt y castell gan Faer y dref? Er y carem ill dau fod wedi cael llawer rhagor o amser yng nghwmni'n gilydd, ac ar waethaf cyfyngiadau iaith, bu'r gymdeithas rhyngom yn felys dros ben ac i'w thrysori'n hir.

* * * * * *

Pan oedd Ekkehard, y carcharor rhyfel, yn ein gadael hanner can mlynedd yn ôl, defnyddiais ymadrodd a ddefnyddir yn gyffredin gan Almaenwyr wrth ffarwelio—'Auf Wiedersehen' (hyd nes y cawn gwrdd â'n gilydd eto). Dyna'r geiriau oedd wedi eu hysgrifennu ar y gacen hardd oedd yn addurno bwrdd ei de parti ffarwél hanner can mlynedd yn ôl—'Auf Wiedersehen, Ekkehard'. Ymhen llai na blwyddyn, gwelsom ein gilydd eto—yn Berlin.

Wrth ffarwelio y tro hwn ag Ekkehard—nid Ekkehard y carcharor rhyfel bellach ond yr Ekkehard a 'wnaeth ei enw' pan oedd yn gofalu am drafnidiaeth Berlin yn nyddiau'r 'blockade', a fu wedyn yn uchel ei swydd yn adran gynllunio cwmni Mercedez Benz, ac a fuasai, yn ôl pob tebyg, pe bai wedi dewis gyrfa wleidyddol (fel y'i temtiwyd lawer gwaith), wedi dringo i fod yn Weinidog Trafnidiaeth yn llywodraeth Bonn—fy ngeiriau unwaith eto oedd: 'Auf Wiedersehen, Ekkehard'. Y tro hwn fodd bynnag—o gofio'r blynyddoedd aeth heibio erbyn hyn—ychwanegais: 'Hyd nes y cawn gwrdd eto yma yng Nghymru neu yn yr Almaen: ac os nad yma yng Nghymru nac yn yr Almaen, trwy ras Duw, mewn man sy'n odidocach na'r Almaen a Chymru, gyda'i gilydd ac ar eu gorau.'

* * * * * *

Un gair pellach cyn cloi hyn o ragarweiniad. Mae pob pregethwr gwerth ei halen yn ymwybodol y bydd ei gynulleidfa yn arferol yn talu'r deyrnged iddo ei fod, wrth ymgymryd â'r gwaith o'u cyfarch, yn deisyfu uwchlaw popeth arall gyhoeddi'r genadwri y byddai Duw ei hun yn dymuno iddo'i thraethu. Bod yn gennad drosto yw ei waith a'i alwedigaeth.

Ychydig fisoedd *cyn* i mi draddodi'r cenadwrïau a ganlyn, digwyddodd rhywbeth yn ein hanes fel teulu a fu'n foddion annisgwyl iawn i'm cadarnhau yn y gobaith hwnnw, gyda golwg ar y Gynhadledd. Er na fu i mi ei grybwyll wrth draddodi'r cenadwrïau, rwy'n dewis gwneud hynny'n awr, rhag ofn y gallasai fod o gymorth i'r darllenydd nad yw eto'n credu yn Iesu Grist ystyried y posibilrwydd y gallasai hyn fod yn wir am y neges sy'n dilyn—yn gymaint ag y mae a fynno ag yntau.

Yr oeddwn yn dychwelyd gyda'm priod o oedfa'r bore yng Nghwmafan, newydd bregethu ar y testun Mathew 16:24: 'Yna y dywedodd yr Iesu wrth ei ddisgyblion, "Os myn neb ddyfod ar fy ôl i, ymwaded ag ef ei hun, a chyfoded ei groes, a chanlyned fi."' A hithau yn gwybod fy mod erbyn hynny'n meddwl llawer am y Gynhadledd, meddai, 'Fe fyddai'r genadwri yna yn addas iawn ar gyfer y Gynhadledd.' Cyfaddefais innau fod hynny wedi croesi fy meddwl fwy nag unwaith. Oherwydd prinder amser, fodd bynnag, fe fyddai'n rhaid i mi bregethu'r bregeth honno mewn dau gyhoeddiad oedd ar y trothwy. Fe fyddai amryw o'r cynulleidfaoedd hynny yn debygol o fod yn y Gynhadledd. Wnâi o mo'r tro iddynt glywed yr un neges ddwy waith. Ychwanegais, 'Ac fe fyddai'n rhaid i rywbeth mawr iawn ddigwydd, i mi beidio â chadw'r ddau gyhoeddiad'.

Dridiau cyn y cyhoeddiad cyntaf (a'r ail yn dilyn y Sul canlynol) yn ddisymwth, ar brynhawn Iau cyn dydd Gwener y Groglith (Ebrill 13, 1995), boddwyd ein hŵyr bach chwe blwydd oed, Dafydd Elwyn, tra oedd yn cerdded gyda'i gi bach, ei ddwy chwaer a'i fam ar lan afon Tywi yn Llansteffan. Yng nghysgod y fath brofedigaeth, fe'm hesgusodwyd innau o orfod cadw fy nghyhoeddiad yn y ddau le.

Yn gam neu'n gymwys (ac rwy'n pwysleisio hynny) cymerais hyn fel sêl fy mod i bregethu'r cenadwrïau sy'n dilyn yn y Gynhadledd. Nid fy mod am eiliad yn credu bod hyn wedi digwydd er mwyn i mi wneud hynny. Ddim o gwbl: am reswm tra gwahanol. Mae pobl Dduw wedi credu erioed, pan fydd Duw yn gweithredu, fod ei weithredoedd bob amser yn cyfarfod cyfuniad o ddibenion da. A ninnau'n credu fod ei law ddoeth a thrugarog Ef ar y cyfan, anodd iawn oedd gwadu'r posibilrwydd y gallasai hyn fod yn un o'r bwriadau grasol a weodd Ef i mewn i gyfanwaith ei ragluniaeth. Amser yn unig a ddengys. Geiriau David Charles—yntau o Gaerfyrddin—sydd yn ein gosod i gyd yn ein lle:

> O fryniau Caersalem ceir gweled
> Holl daith yr anialwch i gyd;
> Pryd hyn y daw troeon yr yrfa
> Yn felys i lanw ein bryd;
> Cawn edrych ar stormydd ac ofnau,
> Ac angau dychrynllyd, a'r bedd,
> A ninnau'n ddihangol o'u cyrraedd
> Yn nofio mewn cariad a hedd.

Mentrais obeithio y gallasai rhannu rhai o deimladau cymysg (o lawenydd ac o dristwch) y misoedd hyn fod yn gymorth i rai (o leiaf), na fuasai'n mynd i'r drafferth fel arall i wneud hynny, ddarllen y cenadwrïau a ganlyn.

Os gwnânt hynny, rwy'n awyddus dros ben iddynt sylweddoli un peth o'r cychwyn—fy mod yn y cenadwrïau eu hunain yn cyfarch rhai a wnaeth broffes eu bod wedi ildio eu bywydau i Dduw ac yn ewyllysio gwneud ei ewyllys. (Nid eu bod yn berffaith o bell ffordd: cyrchu at y nod fydd eu hanes hyd y diwedd.) O ganlyniad, fe allasai'r sawl sydd heb ddod i'r fan honno eto deimlo mai rhywun arall ac nid 'nhw' sy'n cael eu cyfarch. Fe fyddai hynny'n gyfeiliornad mawr ac yn drychineb. Mae gen i reswm da dros ddweud hynny. Dim ond iddyn nhw ddal ymlaen i ddarllen fe welant, yn fuan iawn, mai nhw a'u buddiannau tragwyddol sydd dan ystyriaeth.

Ddeng mlynedd a thrigain yn ôl daeth gwraig ifanc o Gymraes, o dras grefyddol urddasol iawn, i fyw i un o drefi'r De gyda'i gŵr, a oedd newydd droi ei gefn ar rai o binaclau uchaf byd meddygaeth yn Llundain i fod yn weinidog yr efengyl, a chychwyn ar un o'r gyrfaoedd mwyaf bendithiol yn hanes crefydd ein dyddiau ni ym Mhrydain. Fe'i hargyhoeddwyd hi o'i hangen, ac yn ddiweddarach daeth i gredu yn Iesu Grist fel ei Harglwydd a'i Gwaredwr, nid drwy wrando ar ei gŵr yn oedfa'r nos yn pregethu i bechaduriaid, ond wrth wrando arno'n gweinidogaethu i'r saint yn oedfa'r bore. Digwyddodd hynny i lawer tebyg iddi. Dyna pam, yn ddi-os, yr oedd Iesu Grist yn aml yn siarad â'i ddisgyblion yng nghlyw'r rhai nad oedd wedi credu ynddo. All neb amau nad oedd yn gwneud hynny'n fwriadol.

1
Arolwg o'r maes

'Nid yw amlygiad o ras trugarog a maddeugar—yr unig ddrws mynediad i wir gymundeb â Duw—yn cael ei ymddiried i neb ond i'r Hwn y mae'r cyfryw ras trugarog yn trigo ynddo. Drwyddo Ef y pwrcaswyd y gras hwnnw ac Ef hefyd sy'n abl i'w rannu gan mai Ef sy'n ei ddatguddio o fynwes y Tad.'
(John Owen, 1616–1683)

Fyddwch chi ambell waith yn teimlo'n annigonol ar gyfer y dasg o egluro wrth rywun arall sut mae dod yn Gristion? Rhaid i mi gyfaddef mod i wedi teimlo hynny lawer gwaith, yn arbennig felly wrth ddod at ddiwedd pregeth.

Mae'n gyfrifoldeb mawr ceisio cynrychioli person arall yn deg a chywir, yn enwedig os yw'r sawl a gynrychiolwn yn berson o bwys a'i neges yn haeddu gwrandawiad. Yn yr achos yma, rydym yn sôn am gynrychioli neb llai na'r Arglwydd Iesu Grist ei hun. Nid gwaith hawdd o bell ffordd. Yr un pryd, rhaid bod yn deg hefyd â'r sawl yr ŷm yn ei gyfarch. O gofio'r derbyniad tebygol a gaiff ein geiriau, gorchwyl anodd unwaith eto.

Anodd neu beidio, mae'n fraint aruthrol cael gwneud hynny. 'Ac efe a ddywedodd wrthynt, "Felly y mae'n ysgrifenedig, ac felly yr oedd raid i Grist ddioddef, a chyfodi o feirw y trydydd dydd, a phregethu edifeirwch a maddeuant pechodau yn ei enw ef ymhlith yr holl genhedloedd, gan ddechrau yn Jerwsalem. Ac yr ydych chwi yn dystion o'r pethau hyn"' (Luc 24:46–48).

Carwn ofyn cwestiwn pellach yn sgil y cwestiwn cyntaf. Garech chi, tybed, fod yn fwy eiddgar nag ydych ar hyn o bryd? Dichon eich bod yn cofio cyfnod yn eich hanes pryd yr oeddech felly. Neu hwyrach eich bod yn ymwybodol fod rhywrai eraill—cyfeillion i chi hwyrach—sy'n llawer mwy ymroddedig na chi erbyn hyn. Ar y llaw arall, dichon mai'r hyn sydd wrth wraidd eich gofid yw'r ffaith nad oes fawr neb bellach, yn eich eglwys chi eich hunain hyd yn oed, sydd ar dân dros ennill eneidiau at Iesu Grist. Mae lle i ofni fod hyn bellach yn wir am lawer ardal yng Nghymru.

Fe fyddwn yn cyffwrdd â chwestiwn sêl ac eiddgarwch yn ddiweddarach. Yn gyntaf, gadewch i mi rannu rhywbeth a fu'n argyhoeddiad i mi ers blynyddoedd lawer. Mae'n amlwg i mi fod rhan helaeth o'n hanhawster yn deillio o'r ffaith nad ydym yn glir iawn ynghylch yr hyn yr ŷm i'w ddweud wrth bechaduriaid—os goddefir y term hwnnw am y tro, cyn i ni fynd ati i'w egluro. A dyna'r pwnc y byddwn o'r herwydd yn ei drafod yn bennaf. Sut mae efengylu? Sut mae tystiolaethu? Beth, mewn gwirionedd, yw'r neges? Nid trafod dulliau fyddwn ni ond rhywbeth llawer mwy sylfaenol—y neges.

Y llwybr a gymerwn i geisio dod o hyd i'r ateb fydd edrych ar eiriau'r Arglwydd Iesu Grist pan oedd yma ei hunan wrth y gwaith o alw dynion i fod yn ddisgyblion iddo: yr adegau hynny pan oedd yn egluro beth fyddai raid digwydd yn eu hanes cyn y gallent fod yn ddisgyblion iddo.

Gair o gysur

Cyn gwneud hynny, fe fyddai'n ddigon priodol i ni gychwyn gyda gair o gysur posibl. (Feiddiwn i mo'i osod yn uwch na hynny.) Pan fydd Duw yn bwriadu gwneud gwaith newydd er mwyn ennill eneidiau i'w deyrnas, mae'n amlwg ei fod *ymlaen llaw* yn gwneud ffordd iachawdwriaeth yn glir iawn i'w weision. Roedd hynny'n wir am Pedr, er enghraifft, ar ddydd y Pentecost. A chydnabod y buasai'r profiad o gael ei fedyddio â'r Ysbryd Glân wedi codi ei ddirnadaeth ysbrydol i dir uchel iawn, allai Pedr fyth fod wedi pregethu fel y gwnaeth oni bai am yr hyfforddiant a dderbyniodd dan weinidogaeth Iesu Grist dros gyfnod o dair blynedd. Yn rhyfeddol iawn gallwn ychwanegu—*a chan ddim yn fwy yn y weinidogaeth honno na'r geiriau y byddwn ni yn eu hystyried yn y man*, geiriau yn ôl tystiolaeth yr efengylau yr oedd Iesu Grist yn eu hailadrodd yn amlach na'r un o'i ymadroddion eraill.

Fe fu'r un peth yn wir ar wahanol adegau yn hanes yr Eglwys drwy'r canrifoedd. Mi ges i fy hun yn ifanc brofiad bychan ond real iawn o hyn. Roedd yna ymgyrch efengylaidd i'w chynnal yn y Bala, adeg y Pasg 1948. Myfyrwyr oedd yn arwain yr Ymgyrch, criw ohonom o Aberystwyth, Bangor a rhannau eraill o Gymru. Ar wahân i un gweinidog ordeiniedig, myfyrwyr oedd y pregethwyr hefyd. Os dywedaf fod Prifathro'r Coleg Diwinyddol, gweinidog y Methodistiaid Calfinaidd, y ciwrad lleol a chlerc Cyngor y dref, cyn diwedd yr Ymgyrch, wedi gofyn am gael dweud gair o dystiolaeth, fe rydd ryw syniad pa mor anghyffredin fu effaith y cyfarfodydd ar y dref a'r cylch.

Y penwythnos blaenorol roedd gennyf gyhoeddiad yng nghylch Llanegryn gyda'r Annibynwyr. Ond, doedd neb mewn ffordd i letya'r pregethwr! Peth anghyffredin iawn y dyddiau hynny oedd cael eich rhoi fel pregethwr gwadd i aros mewn gwesty dros y Sul. Ond dyna fu fy hanes—yn ddi-os un o'r pethau gorau a ddigwyddodd i mi erioed. Roeddwn wedi mynd â dau lyfryn hefo mi—*God's Way of Salvation* a *The Reason Why*. (Mae'r ddau gennyf hyd heddiw.) A threuliais bob munud sbâr yn gwneud nodiadau manwl o gynnwys y ddau lyfryn bach! Heb air o ormodiaith, dysgais fwy ynghylch cynorthwyo eneidiau i ddod at Iesu Grist yn ystod yr oriau hynny nag a ddysgais drwy fy holl gwrs diwinyddol ym Mangor. (Yn ddiweddarach y tynnwyd fy sylw at *Drws y Society Profiad* Pantycelyn, a llenyddiaeth debyg.) O ganlyniad, pan gyrhaeddais y Bala a chael fod amryw yn aros ar ôl ar ddiwedd y cyfarfodydd—ac yn aros ar ôl am oriau, rai ohonynt, yn methu mynd adref dan argyhoeddiad—fe brofodd y cyfarwyddyd a gefais dros y penwythnos yn baratoad rhyfeddol.

Mor ardderchog fyddai hi pe caem le i gredu fod Duw, hyd yn oed yn ystod y dyddiau diffaith yr ŷm ni'n byw trwyddynt, yn dechrau ar y gwaith o'n paratoi ninnau ar gyfer cynhaeaf arall.*

Tystion i mi

Eglurais yn barod ein bod am geisio goleuni ar y cwestiwn 'beth yw'r neges?' trwy hoelio'n sylw ar yr Arglwydd Iesu Grist pan oedd wrth y gwaith o egluro'r neges honno ei hunan ym Mhalestina ddwy fil o flynyddoedd yn ôl. Yn hytrach na'n bod yn ceisio cwmpasu'r cyfan a ddywedodd ar y pwnc—tasg a fyddai ymhell y tu hwnt i'n cyrraedd—y llwybr a gymerwn fydd canolbwyntio'n sylw ar y geiriau holl-bwysig a lefarodd yn fuan wedi'r ymgom yng Nghesarea Philipi (os nad fel rhan ohoni) a chyn iddo fynd i fynydd y gweddnewidiad yng nghwmni Pedr, Iago ac Ioan. Fe'u gwelir yn Mathew 16:24–28. Fe'u gwelir hefyd yn Marc 8:34 ymlaen a Luc 9:23 ymlaen (gweler Rhestr A, t.33).

Dylid esbonio y byddwn hefyd yn cyfeirio at y tri achlysur arall pryd y llefarodd Iesu Grist eiriau tebyg iawn i'r geiriau hyn—lle mae eto'n sôn am yr angenrheidrwydd i godi'r groes a cholli einioes, sef Mathew 10:37–39, Luc 14:25–27 ac Ioan 12:24–26 (gweler Rhestr B, t.35). (Ceir pum lle mewn gwirionedd. Nodwn y pumed yn y man.) A byddwn yn gwneud hyn i gyd am un rheswm yn unig: oherwydd eu bod, o'u cymryd gyda'i gilydd, yn rhoi'r arweiniad gorau posibl (a hynny o enau Iesu Grist ei hun) wrth i ninnau ystyried yr hyn ydym i'w ddweud wrth bechaduriaid yn ei enw.

Bydd rhywun yn sicr o ofyn, pam canolbwyntio sylw'n fwyaf arbennig ar Mathew 16:24–28, a pham dechrau yn y fan honno

---

* Mewn tegwch â'r hanes hwn ac i fod yn gyson â'r cyfeiriad at ddydd y Pentecost a phrofiad Pedr, dylwn grybwyll fod nifer o'r rhai oedd yn arwain yn yr Ymgyrch wedi profi'r Ysbryd Glân yn disgyn mewn modd neilltuol iawn mewn encil dros benwythnos a gynhaliwyd yn Nolgellau yr Ionawr blaenorol. Roedd hynny hefyd yn rhan o'r paratoad. Ceir yr hanes yn llyfr Geraint Fielder, *Excuse me, Mr. Davies—Hallelujah!* (Gwasg Efengylaidd Cymru, 1983), tt.133-4.

RHESTR A

MATHEW 16:24–28

Yna y dywedodd yr Iesu **wrth ei ddisgyblion**, 'Os myn neb ddyfod ar fy ôl i, ymwaded ag ef ei hun, a chyfoded ei groes, a chanlyned fi. Canys pwy bynnag a ewyllysio gadw ei fywyd, a'i cyll; a phwy bynnag a gollo ei fywyd o'm plegid i, a'i caiff. Canys pa lesâd i ddyn, os ennill efe yr holl fyd, a cholli ei enaid ei hun? Neu pa beth a rydd dyn yn gyfnewid am ei enaid? ***Canys Mab y dyn a ddaw yng ngogoniant ei Dad gyda'i angylion, ac yna y rhydd efe i bob un yn ôl ei weithred.*** Yn wir y dywedaf wrthych, y mae rhai o'r sawl sydd yn sefyll yma, na phrofant angau, ***hyd oni welont Fab y dyn yn dyfod yn ei frenhiniaeth.'***

MARC 8:34—9:1

Ac wedi iddo alw ato y dyrfa, gyda'i ddisgyblion, efe a ddywedodd wrthynt, 'Y neb a fynno ddyfod ar fy ôl i, ymwaded ag ef ei hun, a chyfoded ei groes, a dilyned fi. Canys pwy bynnag a fynno gadw ei einioes, a'i cyll hi; ond pwy bynnag a gollo ei einioes ei hun er fy mwyn i a'r efengyl, hwnnw a'i ceidw hi. Canys pa lesâd i ddyn, os ennill yr holl fyd, a cholli ei einioes? Neu pa beth a rydd dyn yn gyfnewid am ei einioes? ***Canys pwy bynnag a fyddo cywilydd ganddo fi a'm geiriau yn yr odinebus a'r bechadurus genhedlaeth hon, bydd cywilydd gan Fab y dyn yntau hefyd, pan ddêl yng ngogoniant ei Dad gyda'r angylion sanctaidd.'*** Ac efe a ddywedodd wrthynt, 'Yn wir yr wyf yn dywedyd i chwi, fod rhai o'r rhai sydd yn sefyll yma, ni phrofant angau, ***hyd oni welont deyrnas Dduw wedi dyfod mewn nerth.'***

LUC 9:23–27

Ac efe a ddywedodd wrth bawb, 'Os ewyllysia neb ddyfod ar fy ôl i, ymwaded ag ef ei hun, a choded ei groes, a dilyned fi. Canys pwy bynnag a ewyllysio gadw ei einioes, a'i cyll; ond pwy bynnag a gollo ei einioes o'm hachos i, hwnnw a'i ceidw hi. Canys pa lesâd i ddyn, er ennill yr holl fyd, a'i ddifetha'i hun, neu fod wedi ei golli? ***Canys pwy bynnag fyddo cywilydd ganddo fi a'm geiriau, bydd cywilydd gan Fab y dyn ohono yntau, pan ddelo yn ei ogoniant ei hun, a'r Tad, a'r angylion sanctaidd.*** Eithr dywedaf i chwi yn wir, y mae rhai o'r sawl sydd yn sefyll yma na phrofant angau, ***hyd oni welont deyrnas Dduw.'***

yn lle cymryd yr adnodau (lle ceir y cyfeiriad at godi'r groes a cholli einioes) yn eu trefn amseryddol a dechrau yn Mathew 10:37–39? Fel y gwelwn yn ddiweddarach, mae'r cyhoeddiad geir yn Mathew 10:37–39 yn allweddol i ddeall arwyddocâd geiriau Iesu Grist yng Nghesarea Philipi (neu'n fuan wedyn)—ac ar yr achlysuron eraill pryd y soniodd am garu a chasáu einioes, codi'r groes a'i ddilyn. Er cydnabod hynny, mae'r pedair ystyriaeth ganlynol yn ei gwneud hi'n ddoeth i ni ddechrau yn Mathew 16.

Pam newid y drefn?

1. Yn Mathew 16 mae'n amlwg fod Iesu Grist wedi cyrraedd croesffordd bwysig yn ei weinidogaeth. Fe gytunai pawb fod y sgwrs rhyngddo a Phedr yn arwyddocaol iawn. Hwn oedd y cyfnod pryd y dadlennodd i'w ddisgyblion ddau o'r gwirioneddau pwysicaf ynghylch ei eglwys—mai adnabyddiaeth ohono Ef, o ganlyniad i ymyriad dwyfol, fyddai ei sylfaen. ('Gwyn dy fyd di, Simon mab Jona, canys nid cig a gwaed a ddatguddiodd hyn i ti, ond fy Nhad yr hwn sydd yn y nefoedd. Ac yr ydwyf finnau yn dywedyd i ti, mai ti yw Pedr, ac ar y graig hon yr adeiladaf fy eglwys, a phyrth uffern nis gorchfygant hi'—Math. 16:17–18), ac mai ei bresenoldeb Ef gyda'i bobl fyddai cuddiad ei chryfder ('Canys lle mae dau neu dri wedi ymgynnull yn fy enw i, yno yr ydwyf yn eu canol hwynt'—Math. 18:20).

2. Ond yn fwy na hynny, erbyn hyn mae'r Arglwydd Iesu Grist ar drothwy ei flwyddyn olaf ar y ddaear ac y mae pethau'n amlwg yn dwysáu. Fel hyn y mae Mathew yn adrodd yr hanes ym mhennod 16, adnod 21: 'O hynny allan y dechreuodd yr Iesu ddangos i'w ddisgyblion fod yn rhaid iddo fyned i Jerwsalem, a dioddef llawer gan yr henuriaid a'r archoffeiriaid a'r ysgrifenyddion, a'i ladd, a chyfodi y trydydd dydd'. Dyna paham, yn ôl pob tebyg, y digwyddodd y cyfarfyddiad rhyfeddol ar fynydd y gweddnewidiad—Moses ac Elias yn ymddangos ac yn ymgom ag ef 'am ei ymadawiad'.

RHESTR B

MATHEW 10:37–39

'Yr hwn sydd yn caru tad neu fam yn fwy na myfi, nid yw deilwng ohonof fi; a'r neb sydd yn caru mab neu ferch yn fwy na myfi, nid yw deilwng ohonof fi. ***A'r hwn nid yw yn cymryd ei groes, ac yn canlyn ar fy ôl i, nid yw deilwng ohonof fi. Y neb sydd yn cael ei einioes, a'i cyll; a'r neb a gollo ei einioes o'm plegid i, a'i caiff hi.'***

LUC 14:25–27

A llawer o bobl a gydgerddodd ag ef; ac efe a droes, ac a ddywedodd wrthynt, 'Os daw neb ataf fi, ac ni chasao ei dad a'i fam, a'i wraig a'i blant, a'i frodyr a'i chwiorydd, ie, a'i einioes ei hun hefyd, ni all efe fod yn ddisgybl i mi. ***A phwy bynnag ni ddyco ei groes, a dyfod ar fy ôl, ni all efe fod yn ddisgybl i mi.'***

IOAN 12:24–26

'Yn wir, yn wir, meddaf i chwi, oni syrth y gronyn gwenith i'r ddaear a marw, hwnnw a erys yn unig; eithr os bydd efe marw, efe a ddwg ffrwyth lawer. ***Yr hwn sydd yn caru ei einioes a'i cyll hi, a'r hwn sydd yn casáu ei einioes yn y byd hwn, a'i ceidw hi i fywyd tragwyddol.*** Os gwasanaetha neb fi, dilyned fi; a lle yr wyf fi, yno y bydd fy ngwasanaethwr hefyd. Ac os gwasanaetha neb fi, y Tad a'i hanrhydedda ef.'

Ac yna'r llais o'r nef, 'Hwn yw fy annwyl Fab, yn yr hwn y'm bodlonwyd. Gwrandewch arno ef.'

3. Mae'n amlwg fod Iesu Grist wedi tynnu sylw arbennig iawn at y geiriau hyn pan lefarodd nhw am yr ail waith fel hyn yng Nghesarea Philipi. (Math. 10:37–39 oedd y tro cyntaf.) Yn un peth mae ei ymdriniaeth â hwynt yn llawnach o lawer nag ar y tri thro arall (Math. 10, Luc 14 ac Ioan 12). At hynny, mae ei eiriau y tro hwn yn cynnwys cyfeiriad clir a phwysig at y Pentecost, at ei Ailddyfodiad ac at Ddydd y Farn.

4. Mae ei gynulleidfa hefyd yn fwy o lawer y tro hwn nag ar y tri achlysur arall. Wrth y disgyblion ar eu pennau eu hunain, pan oedd yn eu hanfon allan i genhadu, y llefarodd Iesu Grist y geiriau a gofnodir yn Mathew 10:37–38; wrth lawer o bobl a oedd yn digwydd cydgerdded ag ef yn Luc 14; wrth Philip ac Andreas yng nghlyw rhai Groegiaid yn Ioan 12 (gweler Rhestr B, t.35).

Ar yr ail achlysur hwn yng Nghesarea Philipi (neu'n fuan wedyn), mae'n amlwg fod Iesu Grist wedi llefaru'r geiriau hyn wrth ddwy gynulleidfa wahanol! Dyna pa mor fawr oedd ei gynulleidfa (gweler Rhestr A, t.33). Gadewch i mi egluro.

Dwy gynulleidfa

Y tro cyntaf—a dyma'r cyfrif a gawn ni yn Mathew 16—siarad â'i ddisgyblion yn unig y mae. Sylwch ar adnod 24, 'Yna y dywedodd yr Iesu wrth ei ddisgyblion'. Allai dim byd fod yn fwy penodol—'wrth ei ddisgyblion'. Yr ail dro (a gofnodir yn Marc 8) siarad â'r dyrfa ynghyd â'i ddisgyblion y mae. Sylwch y tro hwn ar adnod 34, 'Ac wedi iddo alw ato y dyrfa, gyda'i ddisgyblion'. Unwaith eto, allai dim byd fod yn fwy pendant a diamwys. Ac yn y rhannau cyfatebol a gofnodir gan Luc (9:23) cyfeirio at yr achlysur hwnnw a'r gynulleidfa honno y mae yntau, 'Ac efe a ddywedodd wrth bawb'.

Dyma'r math o gofnodi hanes y byddai beirniaid yr Uwch-feirniadaeth, ers talwm, wrth eu bodd yn dod o hyd iddo. Wyneb yn wyneb â gwrth–ddweud fel hyn, pwy allasai fod yn ddigon ffôl i gredu fod pob gair, fel yr ysgrifennwyd hwy, o ddwyfol ysbrydoliaeth—Mathew 'wrth ei ddisgyblion', Marc 'wrth y dyrfa gyda'i ddisgyblion', Luc 'wrth bawb'! Prawf pendant, meddent, na ellir byth gredu yn nilysrwydd tystiolaeth yr Ysgrythur. Yn waeth fyth, dydi geiriau Iesu Grist fel y croniclir hwy gan y tri Efengylydd ddim yn cyfateb i'w gilydd o gwbl!

Ond mae yna esboniad: un y buasai pob pregethwr yn ei ddeall yn iawn. Nid yw'n beth dieithr o gwbl i bregethwr, wedi cyrraedd ei gyhoeddiad, ddarganfod ei fod i bregethu i gynulleidfa dra gwahanol i'r un yr oedd yn ei disgwyl. Ac er ei fod yn pregethu yr un deunydd, mae'n gorfod addasu'r bregeth i'r gynulleidfa sydd o'i flaen. Os credinwyr fydd ei gynulleidfa, fe fydd hynny'n penderfynu'r ffordd y bydd yn trafod ei ddeunydd. O fynd i fan arall, gyda'r bwriad o bregethu'r un genadwri, a chanfod bod yno nifer fawr o anghredinwyr yn bresennol, fe fydd, yn naturiol ddigon, yn cymhwyso'r deunydd i'r gynulleidfa honno. Dyna'n union yr hyn sy'n digwydd yn y fan yma, nid fel rhywbeth annisgwyl, ond o fwriad. Dewisodd Iesu Grist gyfarch ei ddisgyblion yn gyntaf (yn ôl pob tebyg) ac yna gyfarch y gynulleidfa gymysg gan gymhwyso'r deunydd i'r ddwy gynulleidfa yn ôl y gofyn.

Gellir cyfeirio at enghraifft nodedig arall o hyn yn digwydd yn ystod gweinidogaeth Iesu Grist. Fel y gŵyr y cyfarwydd, mae llawer o gynnwys y Bregeth ar y Mynydd (Math. 5–7) yn cael ei ailadrodd yn y Bregeth a elwir y Bregeth ar y Gwastadedd (Luc 6:17–49). Unwaith eto fe fyddai'r beirniaid yn falch iawn o ddweud, 'does dim modd i ni fod yn sicr beth oedd cynnwys y Bregeth wreiddiol—mae cymaint yn gyffredin rhwng y ddwy ac eto cymaint o wahaniaethau.' Os sylwch chi'n fanwl ar y Bregeth ar y Mynydd, fodd bynnag, yn ôl Mathew mae Iesu Grist yn traddodi'r bregeth honno yn benodol i'w ddisgyblion. Mae'r dyrfa yn bresennol, mae'n wir, ond ar y cyrion yn gwrando. Siarad â'i ddisgyblion y mae Iesu Grist. Pan edrychwch ar y Bregeth ar y Gwastadedd, rhywbeth tra gwahanol sy'n digwydd. *Cyfeirio* at y disgyblion mae Iesu Grist yn bennaf y tro hwn: *cyfarch* y dyrfa.

Cadarnhau'r esboniad

Yr hyn sy'n cadarnhau'r esboniad fod y geiriau y cyfeiriwn atynt (geiriau a lefarwyd gan Iesu Grist, wedi iddo wneud rhai o gyhoeddiadau pwysicaf ei weinidogaeth) wedi eu llefaru wrth ddwy gynulleidfa wahanol, yw'r ffaith ddiymwad fod cyfran helaeth o'i eiriau mor addas a pherthnasol i'r disgyblion, ar y naill law, pan fo'n eu cyfarch hwy (Math. 16:24–28), ac i'r cwmni cymysg, ar y llaw arall, pan fo'n eu cyfarch hwythau (Marc 8:34—9:1 a Luc 9:23–27).

Mae ei *gyfarwyddiadau* i'r sawl fuasai'n ewyllysio'i ddilyn yr un fath yn union pan fo'n cyfarch y ddwy gynulleidfa. Ond pan aiff yn ei flaen i sôn am yr ymweliadau mawr a oedd i ddigwydd yn y dyfodol—Dydd y Farn, yr Ailddyfodiad a'r Pentecost—*mae ei eiriau wedi eu cymhwyso a'u gwneud yn berthnasol i'r gynulleidfa y mae'n ei chyfarch ar y pryd.* Bodlonwn am y tro ar nodi'r amrywiadau a'r gwahaniaethau. Yn ddiweddarach cawn weld yn gliriach fyth y fath wahaniaeth sydd rhwng ei eiriau i'r naill gynulliad rhagor na'r llall.

Cymerwn yn gyntaf ei gyfeiriadau at yr Ailddyfodiad a Dydd y Farn:

1. Gan siarad â'i ddisgyblion (Math. 16:27), meddai, 'Canys Mab y dyn a ddaw yng ngogoniant ei Dad gyda'i angylion, ac yna y rhydd efe i bob un yn ôl ei weithred.' Hynny yw, fe fydd yn rhaid i gredinwyr ymddangos gerbron brawdle Crist, 'fel y derbyniom yr hyn a wnaethom yn y cnawd' chwedl yr apostol Paul. Ni allai dim fod yn fwy perthnasol a phwysig i'r disgyblion ei wybod.

2. Ond darllener y geiriau cyfatebol pan oedd Iesu Grist y tro hwn yn cyfarch y dyrfa ynghyd â'i ddisgyblion. Gan gyfeirio at yr un digwyddiad, meddai, 'Canys pwy bynnag a fyddo cywilydd ganddo fi a'm geiriau yn yr odinebus a'r bechadurus genhedlaeth hon, bydd cywilydd gan Fab y dyn yntau hefyd, pan ddêl yng ngogoniant ei Dad gyda'r angylion sanctaidd' (Marc 8:38). Ar wahân i amrywiad neu ddau, sy'n gwbl ddealladwy —fe'u heglurwn yn y man—yr un geiriau a gofnodir gan Luc.

Er eu bod yn cyfeirio at yr un digwyddiadau—yr Ailddyfodiad a Dydd y Farn—mae byd o wahaniaeth rhwng y ddau gyhoeddiad. Mae'r naill gyhoeddiad fel y llall, fodd bynnag, er yn wahanol, yn gwbl berthnasol i'r sawl y mae'r Arglwydd Iesu Grist yn ei gyfarch.

Ystyriwn ymhellach ei gyfeiriadau at ddydd y Pentecost, sy'n dilyn:

1. Gan siarad â'i ddisgyblion yn unig (Mathew 16 ac adnod 28) ei gyhoeddiad iddyn nhw oedd: 'Yn wir y dywedaf wrthych, y mae rhai o'r sawl sydd yn sefyll yma, na phrofant angau, hyd oni welont Fab y dyn yn dyfod yn ei frenhiniaeth.'

2. Pan drown i'r geiriau cyfatebol yn Marc 9 ac adnod 1, yr hyn ddywedodd Iesu Grist wrth y gynulleidfa gymysg, gan gyfeirio at yr un digwyddiad, oedd: 'Yn wir yr wyf yn dywedyd i chwi, fod rhai o'r rhai sydd yn sefyll yma, ni phrofant angau, hyd oni welont deyrnas Dduw wedi dyfod mewn nerth.' Ac meddai Luc, yntau yn cofnodi'r un datganiad ag y mae Marc yn ei gofnodi, 'Hyd oni welont deyrnas Dduw.'

Unwaith eto, mae cyfandir o wahaniaeth rhwng y ddau osodiad. Yr hyn y byddai *'rhai o'r rhai'* a oedd yn sefyll ymhlith y disgyblion yn ei weld fyddai'r Arglwydd Iesu Grist ei hun yn dod yn ei frenhiniaeth. Yr hyn y byddai *'rhai o'r rhai'* a oedd yn sefyll yn y gynulleidfa gymysg yn ei weld fyddai'r Deyrnas—rhywbeth nad oedden nhw erioed wedi ei gweld o'r blaen—ac yn fwy hyd yn oed na hynny, ei gweld wedi dyfod mewn nerth!

Cawn ystyried y pethau hyn yn llawnach ymhellach ymlaen (gweler pennod 7, 'Yr Ymwelydd Dwyfol', t.99, a phennod 10, 'Y ddau "ddod"', t.126). Mae'n hwyr bryd i ni bellach droi at ein pwnc.

2
'Deled dy deyrnas'

Y demtasiwn yw mynd ar ein hunion at y geiriau y byddwn ni'n canolbwyntio ein sylw arnyn nhw: 'Os myn neb ddyfod ar fy ôl i, ymwaded ag ef ei hun, a chyfoded ei groes, a chanlyned fi. Canys pwy bynnag a ewyllysio gadw ei fywyd, a'i cyll; a phwy bynnag a gollo ei fywyd o'm plegid i, a'i caiff' (Math. 16:24–25). Ond fe fyddai hynny'n gamgymeriad mawr. Mae'n eithriadol bwysig ein bod cyn gwneud hynny yn ceisio amgyffred arwyddocâd yr achlysur nodedig pryd y llefarwyd y geiriau hyn, sef yn union wedi'r datganiad rhyfeddol ynghylch ei eglwys a'i Deyrnas a wnaeth yr Arglwydd Iesu Grist yng Nghesarea Philipi. Dyma'r datganiad unwaith eto.

> 'A Simon Pedr a atebodd ac a ddywedodd, "Ti yw'r Crist, Mab y Duw byw". A'r Iesu gan ateb a ddywedodd wrtho, "Gwyn dy fyd di, Simon mab Jona, canys nid cig a gwaed a ddatguddiodd hyn i ti, ond fy Nhad yr hwn sydd yn y nefoedd. Ac yr ydwyf finnau yn dywedyd i ti, mai ti yw Pedr, ac ar y graig hon yr adeiladaf fy eglwys, a phyrth uffern nis gorchfygant hi. A rhoddaf i ti agoriadau teyrnas nefoedd; a pha beth bynnag a rwymech ar y ddaear, a fydd rhwymedig yn y nefoedd, a pha beth bynnag a ryddhaech ar yr ddaear a fydd wedi ei ryddhau yn y nefoedd"' (Math. 16:16–19).

Mae'n gyhoeddiad syfrdanol. 'Ar y graig hon,' medd Iesu Grist, 'yr adeiladaf fy eglwys . . . a rhoddaf i ti agoriadau teyrnas nefoedd.' Mae teyrnas nefoedd mor agos â hynny! Fe roddid ym meddiant Pedr, yn y man, yr allwedd fyddai'n galluogi dynion i fynd i mewn iddi—i mewn i deyrnas nefoedd!

A Pedr a gafodd y fraint o ddefnyddio'r agoriadau am y tro

cyntaf: ar ddydd y Pentecost yn hanes yr Iddewon, 'Edifarhewch,' meddai, 'a bedyddier pob un ohonoch yn enw Iesu Grist er maddeuant pechodau; a chwi a dderbyniwch rodd yr Ysbryd Glân. Canys i chwi y mae'r addewid, ac i'ch plant, ac i bawb ymhell, cynifer ag a alwo'r Arglwydd ein Duw ni ato . . . Cedwch eich hunain rhag y genhedlaeth drofaus hon' (Actau 2:38–40); ac yng nghartref Cornelius yn ddiweddarach, wrth gyfarch cenedl-ddynion (Actau 10:34–43).

Yn fuan os nad yn union wedi'r cyhoeddiad cyffrous hwn ynghylch ei Deyrnas (a phwy fyddai â'r allwedd i agor ei drws), mae'r cyfarwyddiadau sut i ddod i berthyn i'r Deyrnas honno'n dilyn—y cyfarwyddiadau yr ydym yn eu hystyried a'r cyfarwyddiadau hefyd, fel y cawn weld, sydd yn cyfateb yn agos iawn i'r neges allweddol y cafodd Pedr ei chyhoeddi ar ddydd y Pentecost. (Ac nid Pedr yn unig, wrth gwrs, ond pob gweinidog ffyddlon i Iesu Grist byth oddi ar hynny.) Dyna'r drefn felly—cyfeirio'n gyntaf at ddyfodiad y Deyrnas, gan gynnwys rhoi peth gwybodaeth amdani, ac yna symud ymlaen i egluro'r ffordd y deuai dynion i berthyn iddi.

Mae'n bwysig sylwi bod hon yn drefn a sefydlwyd yn barod. Cyn i'r Arglwydd Iesu Grist gychwyn ar ei weinidogaeth gyhoeddus, roedd 'na gyhoeddiad tebyg ynghylch teyrnas nefoedd i flaenori'r cenhadu hwnnw. Dim llai na bod addewidion yr Hen Destament ynghylch teyrnas Dduw ar fin cael eu cyflawni, fod teyrnas Dduw yn agos. Ioan Fedyddiwr a gafodd y fraint o wneud y cyhoeddiad gyntaf: 'Edifarhewch, canys nesaodd teyrnas nefoedd' (Math. 3:2); a'i ddilyn gan yr Arglwydd Iesu Grist ei hun: 'A'r Iesu a aeth o amgylch holl Galilea, gan ddysgu yn eu synagogau, a phregethu efengyl y deyrnas' (Math. 4:23).

Yr un peth yn hollol oedd i ddigwydd yn hanes y disgyblion, 'Ac wrth fyned, pregethwch, gan ddywedyd, "Mae teyrnas nefoedd wedi nesáu."' (Math. 10:7). Adroddir yn debyg am yr apostol Paul, 'Ac wedi iddynt nodi diwrnod iddo, llawer a ddaeth ato ef i'w lety, i'r rhai y tystiolaethodd ac yr eglurodd efe deyrnas Dduw . . . A Phaul a arhosodd ddwy flynedd gyfan yn ei lety ardrethol ei hun, ac a dderbyniodd bawb oedd yn dyfod i mewn ato, gan bregethu teyrnas Dduw ac athrawiaethu y pethau am yr Arglwydd Iesu Grist, gyda phob hyfder, yn ddiwahardd' (Actau 28:23 a 30).

Ac y mae'r un peth yn wir am yr adnodau yr ŷm ni yn mynd i'w hystyried yn Mathew 16. Y cyhoeddiad ynghylch y Deyrnas i ddechrau ac yna'r cyfarwyddiadau'n dilyn.

Gwneud gwaith mawr

Y cwestiwn yr ŷm ni'n ceisio goleuni arno yw, sut mae efengylu? Pa wersi allwn ni eu dysgu oddi wrth esiampl Iesu Grist? A'r wers gyntaf yw, fod yn rhaid i ninnau fod yn llawn o'r neges fod Duw yn gwneud rhywbeth mawr. Waeth i ni heb â dechrau trwy ddweud wrth bobl beth sydd raid iddyn nhw ei wneud i ddod yn Gristnogion. Rhaid iddyn nhw gael gwybod yn gyntaf pam y dylen nhw wrando. A'r rheswm cyntaf a'r pennaf y mae'r Beibl yn ei roi yw, nid am eu bod nhw'n golledig (mae hynny'n wir), ond am fod Duw yn codi Teyrnas i'w Fab ac yn galw deiliaid i mewn i'r Deyrnas dragwyddol honno—yn awr, heddiw!

Rhaid cyfaddef ei bod hi'n haws cyhoeddi hyn mewn dyddiau pan fo Duw yn amlwg ar waith. Mae'r rhai hynny ohonom sy'n cofio cyfnodau pryd y gwelsom hynny'n digwydd (ar raddfa fach mae'n wir, o'i gymharu â'r hyn y buom yn hiraethu amdano) yn barod iawn i gyfaddef mai'r hyn oedd yn ein symbylu i genhadu'n dwymgalon ar adegau felly oedd yr ymwybyddiaeth fod Duw ar waith.

Ond mae'r gwirionedd yn sefyll. Mae Duw yn gwneud peth mawr pe na bai ond yn dewis ennill *un* enaid i'w Deyrnas. Dyna pam y dadlennodd Iesu Grist—yr hyn na fyddai gan neb ohonom unrhyw ddirnadaeth yn ei gylch oni bai am ei eiriau—fod llawenydd yn y Nef am un pechadur a edifarhaodd. Dim ond un! Mae'r esboniad am hynny yn amlwg. Nid oes dim godidocach na hyn yn digwydd byth, yn unman drwy'r byd i gyd.

Os yw'r niferoedd yn ymddangos yn fach i ni yng Nghymru y dyddiau hyn a'r hinsawdd ysbrydol yn oer a gerwin, mae'n bwysig cofio fod y niferoedd hynny ar hyn o bryd yn eu miloedd a'u degau o filoedd mewn rhannau eraill o'r byd. Profiad bythgofiadwy oedd sefyll yn syfrdan un prynhawn ar ymyl y Niagara fawr yn yr union fan lle'r hyrddiai ei dyfroedd i'r dyfnderoedd gerllaw a sylweddoli na allai'r rhewynt miniocaf, ar ei waethaf, fyth atal ei lli. Mae afon Duw yn llifo'n debyg, a hynny, ar brydiau, yn nannedd elfennau croes pan fônt ar eu cynddeiriocaf. Gwaed y merthyron fu had yr eglwys mewn llawer gwlad a chyfnod. Nid gwroldeb y merthyron, er dewred pob un ohonynt, oedd i gyfrif am hynny, ond afon Duw yn llifo'n ddiwrthdro.

Felly, mae'n rhaid i ni fynnu dweud fod Duw wedi gwneud pethau mawr yng Nghymru yn y gorffennol, a'i fod yn dal i wneud pethau mawr yng Nghymru heddiw. Er ein ffaeleddau i gyd, rydym ni sydd yma yn dystion byw i'r ffaith fod hynny, o leiaf, yn wir.

A beth yn hollol yw'r peth mawr hwnnw? Yn gyntaf ac yn bennaf, yn unol â'i addewid i'w Fab, fod Duw yn dwyn i'w llawn faintioli Deyrnas newydd y bydd ei dinasyddion i gyd, o lwyrfryd calon, yn dymuno gwasanaethu'i Harglwydd. Yn ail, fod Duw yn gorchymyn pawb ar wyneb daear i dderbyn ei wahoddiad a dod yn aelodau o'r Deyrnas honno—ar amodau arbennig. Yn drydydd, trwy briodoli iddynt haeddiant ei Fab, trefnu fod y sawl fydd, *trwy ei ras*, yn ymateb yn gadarnhaol i'r gwahoddiad, nid yn unig i dderbyn maddeuant am eu pechodau a derbyniad i'r Deyrnas yn rhad, ond hefyd i fwynhau ei bendithion a'i breintiau, hwythau yn rhad—yn y byd hwn ac yn y byd a ddaw.

Dyna'r gwaith aruthrol fawr y mae Duw yn ei wneud—*ar hyn o bryd*. Fe ddaw'r dydd pryd y bydd y deyrnas 'wedi dod' i'w llawn faintioli. Dydi'r dydd hwnnw ddim wedi gwawrio eto. Fel y byddai ein tadau mor hoff o gyhoeddi—a hynny 'o bennau'r tai'—'Dydi drws trugaredd ddim eto wedi ei gau.' Dal i ddod y mae'r Deyrnas. Dyna pam yr ŷm ninnau'n dal i weddïo'n ddyddiol—'deled dy deyrnas'.

Ond pam, meddech chi, ei bod mor bwysig ein bod wrth

efengylu yn dechrau gyda'r genadwri fod Duw yn codi teyrnas i'w Fab, ac yna'n mynd ymlaen i sôn am y gwahoddiad, yr amodau a'r bendithion? Dylai fod yn ddigonol ateb, am mai dyna'r drefn ysgrythurol: fel yna y gosodir pethau yn yr Ysgrythur. Ond mae yna reswm amlwg arall. Mae'r drefn yn gwbl resymegol. Mae amodau derbyniad i'r Deyrnas—a thrwy hynny gael mwynhau ei breintiau—yn dilyn yn uniongyrchol o'r hyn y mae Duw yn ei wneud. Teyrnas yw hi, a'r Arglwydd Iesu Grist yw ei Brenin. O gydnabod hyn, gallwn fynd rhagom i wrando ar yr Arglwydd Iesu Grist yn egluro beth yw'r amodau hynny a beth yw'r breintiau.

Yr amodau

Y peth cyntaf y mae Iesu Grist yn ei ddweud yn yr adnodau yr ŷm ni'n eu hystyried yw bod yn rhaid i bwy bynnag sydd am berthyn i'w Deyrnas *ymwadu ag ef ei hun, codi ei groes, a'i ganlyn ef* (Math. 16:24–25). Fe sylwch ar unwaith fod yna wedd negyddol a gwedd gadarnhaol i'r amodau.

Edrychwn ar y wedd negyddol yn gyntaf. A'r tro hwn, er mwyn gwneud cyfiawnder â'i eiriau, ychwanegwn yr amrywiadau eraill a ddefnyddiodd Iesu Grist i egluro beth fyddai'r gofynion hynny. Fel hyn y mae'r rhestr yn darllen wedyn, *ymwadu ag ef ei hun, codi ei groes, colli bywyd, casáu ei einioes ei hun*—geiriau, o'u gosod ochr yn ochr â'i gilydd, sydd yn peri i rywun dynnu ei anadl mewn syndod. Da gwneud hynny, fodd bynnag, yn arbennig felly y dyddiau hyn. Nid ar chwarae bach y mae dyn yn dod yn Gristion.

Mae'n amlwg fod Iesu Grist yn gosod yr amod negyddol mewn pedair ffordd wahanol fel hyn, fel bod y pedwar gosodiad (sydd, o safbwynt ysbrydol, yn gyfystyr â'i gilydd), o'u cymryd gyda'i gilydd, yn egluro'i gilydd—rhag bod neb yn camddeall. Enghraifft nodedig o ddawn ac athrylith y gwir athro. Os edrychwn yn ofalus ar yr amrywiadau a ddefnyddir ganddo, ni fydd gennym ninnau yr un gronyn o amheuaeth at beth y mae'n cyfeirio. Dyma nhw unwaith eto:

1. **'Os ewyllysia neb ddyfod ar fy ôl i, ymwaded ag ef ei hun.'** Hynny yw, dweud 'Na' wrthym ni ein hunain. Nid hunan-ymwadu o bryd i'w gilydd. Dweud wrthym ni ein hunain fod y bywyd y byddem ni, o ran ein natur gynhenid, yn dymuno'i fyw, i ddod i ben. Rhoi awenau ein bywyd i rywun arall. Gwadu i ni ein hunain yr 'hawl' i fyw fel y buasem ni ein hunain yn dymuno byw a chaniatáu i rywun arall ein harwain.

2. **'A chyfoded ei groes'**. Er i'r ymadrodd hwn gael ei gamddefnyddio trwy'r blynyddoedd—ac er ei fod yn dal i gael ei gamddefnyddio heddiw—i gyfeirio at dreialon bywyd, dim ond un ystyr a fuasai'n bosibl iddo i bobl a oedd yn byw dan reolaeth Rhufain, sef eu paratoi eu hunain i farw. Derbyn dedfryd marwolaeth, cymryd camre bwriadol i wynebu'r dynged honno, a glynu wrth y ddedfryd honno *'beunydd'* trwy gydol ein hoes (Luc 9:23). Fel y crybwyllwyd yn barod, tair gwaith y mae'r Efengylau yn cofnodi ddarfod i'r Arglwydd Iesu Grist lefaru'r geiriau hyn. (Sawl gwaith yn rhagor y gwnaeth hynny, ni wyddom.) Tair gwaith! (Math. 10:38, 16:24, a Luc 14:27.) Yn ôl Marc (10:21b) defnyddiodd Iesu Grist yr ymadrodd *'cymer i fyny y groes'* hefyd wrth siarad â'r gŵr ieuanc goludog: 'Un peth sydd ddiffygiol i ti: dos, gwerth yr hyn oll sydd gennyt a dyro i'r tlodion, a thi a gei drysor yn y nef. A thyred, cymer i fyny y groes, a dilyn fi.'

3. **'Colli bywyd'**—rhoi bywyd i fyny. Yn ôl yr Efengylau, mae Iesu Grist yn defnyddio'r ymadrodd ar ddau achlysur gwahanol yng nghyd-destun cenhadu ac efengylu:

   - *Mathew 10:39:* 'Y neb sydd yn cael ei einioes, a'i cyll; a'r neb a gollo ei einioes o'm plegid i, a'i caiff hi';
   - *Mathew 16:25:* 'Pwy bynnag a ewyllysio gadw ei fywyd, a'i cyll; a phwy bynnag a gollo ei fywyd o'm plegid i, a'i caiff.'

   Rhag bod neb mewn perygl o anghofio'i eiriau, mae'n eu

defnyddio unwaith yn rhagor, nid yng nghyd-destun cenhadu ond wrth sôn am ddiwedd y byd. 'Pwy bynnag a geisio gadw ei einioes, a'i cyll; a phwy bynnag a'i cyll, a'i ceidw'n fyw' (Luc 17:33).

4. **'Casáu ei einioes ei hun'.** 'Yr hwn sydd yn caru ei einioes a'i cyll hi, a'r hwn sydd yn casáu ei einioes yn y byd hwn, a'i ceidw hi i fywyd tragwyddol' (Ioan 12:25). Mae ei eiriau yn Luc 14:26–27 yn debyg—geiriau y byddwn ni'n eu hystyried yn ofalus yn ddiweddarach—'Os daw neb ataf fi, ac ni chasao ei dad a'i fam, a'i wraig a'i blant, a'i frodyr a'i chwiorydd, ie, a'i einioes ei hun hefyd, ni all efe fod yn ddisgybl i mi.'

Fe welwch y sefyllfa'n glir:

> Ar y naill law—Cael, Cadw, Caru.
> Y canlyniad—Colli.

Darlun perffaith o'r natur ddynol a thynged y cyfryw rai, ar wahân i ras Duw.

> Ar y llaw arall—Colli, Casáu.
> Y canlyniad—Cael!

Darlun perffaith o'r hyn y mae'r efengyl yn ei gynnig.

Yr ochr negyddol yn unig yw hon. Beth am yr ochr gadarnhaol? Fe'i ceir yn gryno mewn tri gair—'A chanlyned fi'. Os yw'r ymadrodd yn gwta gryno, mae'n golygu oes—dim llai—o fod dan awdurdod Iesu Grist. Roedd yn golygu hynny bryd hynny. Mae'n golygu hynny heddiw. Byw gyda'r unig fwriad o wneud ei ewyllys a gogoneddu ei enw. Er methu dro a thrachefn, mynd lle mae'n gofyn, gwneud fel mae'n gorchymyn.

Y tro olaf y defnyddiodd Iesu Grist yr ymadroddion hyn (colli/cadw), mae'n cyfeirio ddwywaith at yr elfen gadarnhaol yma o wasanaethu: 'Os *gwasanaetha* neb fi, dilyned fi; a lle yr wyf fi, yno y bydd fy ngwasanaethwr hefyd. Ac os *gwasanaetha* neb fi, y Tad a'i hanrhydedda ef' (Ioan 12:26).

Dyna'r amodau felly: gollwng ein gafael yn y bywyd y buasem wedi ei fyw fel arall, a'n trosglwyddo ein hunain yn gyfan gwbl i fod yn eiddo i'r Arglwydd Iesu Grist, gyda'r bwriad, gonest a didwyll, o'i ddilyn a'i wasanaethu. Yr hyn y mae T. S. Eliot yn ei alw'n gyflwr o symlrwydd llwyr sy'n costio dim llai na'r cyfan: 'A condition of complete simplicity / Costing not less than everything.'

Y breintiau

Yr hyn sydd yn y fantol, yn syml iawn, yw—bywyd. Dim llai. 'Canys pwy bynnag a ewyllysio gadw ei fywyd, a'i cyll; a phwy bynnag a gollo ei fywyd o'm plegid i, a'i caiff' (Math.16:25). Ac nid sôn am fywyd cyffredin yn cael ei ddiogelu y mae Iesu Grist, ond sôn am fywyd tragwyddol yn cael ei sicrhau. 'Yr hwn sydd yn caru ei einioes a'i cyll hi, a'r hwn sydd yn casáu ei einioes yn byd hwn, a'i ceidw hi i fywyd tragwyddol' (Ioan 12:25).

'Beth yw'r bywyd tragwyddol hwnnw?' meddech, 'a beth yw'r gwahaniaeth rhyngddo ac unrhyw fywyd arall?' Ni ellid cynnig gwell ateb na'r un a geir yn y disgrifiad a roes Iesu Grist ohono wrth weddïo ar ei Dad cyn iddo'n fuan wedyn ffarwelio dros dro â'i ddisgyblion. 'Y Tad, daeth yr awr. Gogonedda dy Fab, fel y gogoneddo dy Fab dithau; megis y rhoddaist iddo awdurdod ar bob cnawd, fel am y cwbl a roddaist iddo, y rhoddai efe iddynt fywyd tragwyddol. *A hyn yw'r bywyd tragwyddol: iddynt dy adnabod di yr unig wir Dduw, a'r hwn a anfonaist ti, Iesu Grist*' (Ioan 17:1–3).

Dyna beth ydyw yn ei hanfod: Iesu Grist yn caniatáu i ddynion y fraint o gael ei adnabod, a thrwy hynny adnabod y Tad. A'r adnabyddiaeth honno—er mor rhyfeddol ydyw—yn cael ei phrofi i fod yr un mor ddilys, byw, personol a real rhwng y cyfryw ac ef, ag ydyw eu hadnabyddiaeth o'u cyfeillion agosaf. Un prawf fod hynny'n ffaith yw bod y sawl a'i profodd yn darganfod yn fuan iawn fod yr Arglwydd Iesu Grist y maent hwy yn ei adnabod yr un person yn union â'r person y dywedir amdano yn yr Ysgrythur. Hyn sy'n gwneud y Beibl yn llyfr mor annwyl a gwerthfawr yn eu golwg. (Rhywbeth sy'n peri dryswch llwyr i bawb arall.)

Hyn hefyd sydd i gyfrif am y ffaith fod cymdeithas rhwng y cyfryw a'i gilydd yn beth mor werthfawr a boddhaol. (Rhywbeth sydd unwaith eto'n ddirgelwch llwyr, ac yn dramgwydd yn aml, i eraill.) Yr un person yn union y daethont hwy i'w adnabod yw'r person y mae pob Cristion arall trwy'r canrifoedd wedi dod i'w adnabod. Francis Ridley Havergal a'i gosododd orau wrth gydnabod yn ddiolchgar lythyr a dderbyniodd: 'Diolch i chwi am ddweud wrthyf sut y mae rhyngoch a'r Arglwydd Iesu Grist: rydw innau'n ymwneud â'r un Person' (I have to do with the same Person).

Ond nid dyna'r cyfan. Fel yn hanes pob adnabyddiaeth sy'n seiliedig ar gariad, rhinwedd a chyfiawnder, ceir profi yn ogystal doreth ddirifedi o fendithion a breintiau yn dod i'n rhan, yn y byd hwn, ac yn bwysicach—am ein bod yn siarad am adnabod Duw—yn y byd a ddaw. Ymhlyg yn hyn oll, ac yn goron ar y cyfan, deuir yn feddiannol ar sicrwydd y bydd yr adnabyddiaeth eithriadol freintiedig hon, ynghyd â phopeth sy'n deillio ohoni, yn parhau i dragwyddoldeb! Rhan o'r 'gogoniant' a berthyn i Iesu Grist yw mai iddo ef (yn unig) y rhoddwyd y fraint o ganiatáu i ddynion yr adnabyddiaeth hon yn y lle cyntaf (Ioan 17:1–2); ef hefyd sydd yn gyfrifol am sicrhau ei pharhad.

Swm a sylwedd y cyfan yw bod y sawl a rydd ei fywyd yn ôl i Dduw (fel bod y bywyd y buasai wedi ei fyw yn peidio â bod), wrth ymwrthod â'r bywyd hwnnw, yn etifeddu bywyd newydd—y bywyd y bwriadodd y sawl a'i creodd y byddai'n fywyd iddo ar y dechrau. Er mawr glod i'r un Crëwr, mae i'w fywyd blaenorol ei gyneddfau rhyfeddol, ond bywyd anghyflawn ydyw; *mae gwastad cyfan o fodolaeth ar goll*. Dyna pam fod yr Ysgrythur bob amser yn cyfeirio ato fel marwolaeth.

Bywyd unllawr

Cefais fy atgoffa'n fyw iawn o hyn yn fuan wedi i mi ddod yn Gristion. Cyfeiriais yn y rhagarweiniad at Gynhadledd i Ieuenctid y Byd a gynhaliwyd yn Oslo yn 1948. Anodd fyddai cyfleu'r siom a brofasom, fel cynrychiolwyr i'r Gynhadledd honno, wedi inni ddeall fod un (os nad rhagor) o'r cyfarfodydd mwyaf i'w cynnal yn yr Eglwys Gadeiriol, o groesi'r trothwy i'r adeilad ysblennydd hwnnw a chanfod fod nenfwd cwbl ddiaddurn wedi ei osod yn isel uwchben y gynulleidfa. Doedd dim modd gweld dim o brydferthwch hanner uchaf yr adeilad. A rhoi halen ar friw, rwy'n ofni, oedd cael ar ddeall fod arlunydd o fri yn gweithio oddi ar y llwyfan dros dro yn adnewyddu'r cyfan. Fe'n sicrhawyd y byddai yn y man yn werth ei weld. Ond nid i ni y perthynai y fraint honno.

I mi ar y pryd—ac ni chefais achos i newid fy marn—darlun perffaith oedd y cyfan o fywyd dyn ar y ddaear, heb iddo ddod i adnabod Duw yn Iesu Grist. Byw ar y gwastad is yw ei fywyd ar y gorau: bywyd un llawr a'r nenfwd yn isel odiaeth. Nid dyna'r bywyd a fwriadodd Duw ar gyfer dyn. Fe'n crëwyd i fyw mewn cymdeithas a chytgord â Duw ac i brofi yn hynny ein dedwyddwch pennaf. Hanner byw yw pob bywyd arall. Llai na hynny medd yr hen air—'byd heb ddim yw bod heb Dduw.'

Dyna pam fod Iesu Grist yn dysgu bod pob dyn yn ei gyflwr naturiol ar goll. Yr hyn a olygir ganddo yw fod y cyfryw ar goll i Dduw: ar goll o ran ei berthynas â Duw. Wrth reddf, ein harfer ni yw meddwl mai dyn yw canolbwynt y bydysawd ac edrych ar bopeth o'r safbwynt hwnnw. Duw yw canolbwynt popeth i Iesu Grist ac o'i safbwynt Ef y mae barnu popeth.

Yn fwy na hynny, medd Iesu Grist, mae dyn mewn perygl y bydd y cyflwr hwnnw'n parhau i dragwyddoldeb oni bai fod dyn yn gwrando ar amodau Duw ac yn derbyn ei wahoddiad i ddod i mewn i'w Deyrnas. Does dim angen iddo wneud dim i fod yn golledig—dim ond aros fel y mae.

Y maen prawf

Fel y cyfeiriwyd yn barod (t.47), fe ddefnyddiodd Iesu Grist y ffigur o golli a chadw einioes unwaith yn rhagor, a hynny pan oedd yn trafod nid efengylu ond diwedd y byd a Dydd y Farn. 'Yn y dydd hwnnw y neb a fyddo ar ben y tŷ, a'i bethau o fewn y tŷ, na ddisgynned i'w cymryd hwynt; a'r hwn a fyddo yn y maes, yr un ffunud na ddychweled yn ei ôl. Cofiwch wraig Lot. Pwy bynnag a geisio gadw ei einioes, a'i cyll; a phwy bynnag a'i cyll, a'i ceidw'n fyw. Yr wyf yn dywedyd i chwi, y nos honno y bydd dau yn yr un gwely: y naill a gymerir, a'r llall a adewir. Dwy a fydd yn malu yn yr un lle: y naill a gymerir, a'r llall a adewir. Dau a fyddant yn y maes: y naill a gymerir, a'r llall a adewir' (Luc 17:31–36).

Roeddwn yn teithio i fyny i Aberystwyth yn ddiweddar wedi gwneud yr un daith yn union wythnos ynghynt. A'r hyn yr oedd fy ngwraig a minnau'n sylwi arno yr eiltro oedd fel yr oedd y borfa wedi newid ei lliw mewn cyn lleied o amser. Wythnos yn flaenorol roedd hi'n weddol wyrdd yr holl daith i'r Gogledd. Ymhen saith niwrnod, wedi'r holl wres a'r sychder, roedd hi'n dra gwahanol: arwyddion llosgi ymhob man, a sôn ar y cyfryngau am danau'n llosgi ar y mynyddoedd.

Pedr—ymhell cyn i wyddonwyr ein dyddiau ni ymuno ag ef—sy'n ysgrifennu am y tân sy'n mynd i losgi'r ddaear cyn bo hir. 'Y nefoedd a'r ddaear sydd yr awr hon, ydynt trwy'r un gair wedi eu rhoddi i gadw i dân, erbyn dydd y farn, a distryw dynion annuwiol' (2 Pedr 3:7). Yr hyn a'n trawodd ni ein dau oedd, chymer hi ddim llawer o amser i hynny ddigwydd hyd yn oed yn ôl y drefn naturiol, heb unrhyw sôn am ymyrraeth ddwyfol.

Yr hyn y dylem sylwi arno yw'r ffaith syfrdanol fod Iesu Grist, wrth gyfeirio at y digwyddiad mawr hwnnw, yn defnyddio'r un iaith yn union yn Luc 17:33 â'r iaith a ddefnyddiodd yn ystod ei weinidogaeth i egluro amodau derbyniad i mewn i'w Deyrnas. 'Pwy bynnag a geisio gadw ei einioes, a'i cyll; a phwy bynnag a'i cyll, a'i ceidw'n fyw.' Sôn y mae am ddynion yn sylweddoli bod y diwedd wedi dod ond bod eu bryd ar bethau'r ddaear. 'Yn y dydd hwnnw y neb a fyddo ar ben y tŷ, a'i bethau o fewn y tŷ, na ddisgynned i'w cymryd hwynt; a'r hwn a fyddo yn y maes, yr un ffunud, na ddychweled yn ei ôl.' A meddai, 'Pwy bynnag a geisio gadw ei einioes, a'i cyll.' Felly maen nhw wedi byw. Felly maen nhw'n mynd i farw.

Mor wahanol fydd hi yn hanes y sawl a fydd yn croesawu'r diwrnod hwnnw, y rhai a ofalodd yn ystod eu bywyd 'wregysu eu lwynau' er mwyn bod yn barod i groesawu eu Harglwydd: pwy bynnag a gollo ei einioes 'a'i ceidw'n fyw . . . y naill a gymerir, a'r llall a adewir.'

Mae Dydd y Farn yn dod. Clywch eiriau y byddwn yn edrych arnyn nhw'n fanylach eto. 'Pan ddaw Mab y dyn yng ngogoniant ei Dad, gyda'i angylion, yna y rhydd efe i bawb yn ôl ei weithred.' Does dim gronyn o amheuaeth a ddigwydd hyn ai peidio. 'Pan ddaw Mab y dyn.' A'r wers fawr y mae Iesu Grist yn ei dysgu yn y fan yma yw hyn: *y maen prawf a osodir ar fywydau pob un ohonom y dydd hwnnw yw'r union amodau derbyniad i'w Deyrnas sydd i'w pregethu ar bennau'r tai yn awr.* Gyda'r genadwri hon y dechreuodd Iesu Grist ei waith cenhadol, 'Os ewyllysia neb ddyfod ar fy ôl i, ymwaded ag ef ei hun, a chyfoded ei groes a chanlyned fi.' Ac yn y fan yna y bydd yn ei ddirwyn i ben.

A yw'n achos gofid a thristwch i chi felly fod dynion yn gwrthod ildio eu bywydau i Dduw? Sylwch, nid fod dynion yn cyflawni pechodau ysgeler: mae hynny'n faich ar lawer y dyddiau hyn. Nid am ddrygau cymdeithasol a moesol, y mae cymaint o sôn a thrafod yn eu cylch ymhob rhan o'n gwlad, y gofynnwn. Nid am bechodau ond am Bechod. Nid am ail orchymyn mawr y gyfraith (Ti a geri dy gymydog fel ti dy hun) ond am y gorchymyn cyntaf (Ti a geri yr Arglwydd dy Dduw â'th holl galon, â'th holl feddwl, â'th holl einioes). Mae'n gwestiwn sy'n mynd at wraidd y cwestiynau eraill i gyd. A phrin iawn yw'r sawl sydd yn ei ofyn. A ydyw'n faich ar eich calon fod dynion yn gwrthod rhoi eu bywydau yn ôl i Dduw? Yn sicr iawn fe ddylai fod.

Praffter Iesu Grist

Yn yr adnodau rhyfeddol hyn yr ŷm ni'n eu hystyried (gweler Rhestr A, t.33), gesyd Iesu Grist ei fys yn ddinacâd ar yr union bethau sy'n llywodraethu dyn yn ei gyflwr colledig ac sy'n ei rwystro rhag ymateb i alwad Duw. Yn gyntaf, hunanoldeb a gelyniaeth yn erbyn Duw—dyn yn mynnu cadw ei fywyd yn ei ddwylo'i hun a gwrthod i Dduw feddiant o'i eiddo ei hun. 'Canys pwy bynnag a ewyllysio gadw ei fywyd, a'i cyll' (Math. 16:25a).

Yn ail, caniatáu i hunan-gais a chariad at bethau'r byd hwn gael y flaenoriaeth ar fuddiannau'r enaid: credu fod ennill yr hyn y mae'r byd yn ei gynnig yn rhagori ar yr hyn y mae Duw yn ei gynnig! 'O'r gorau,' medd Iesu Grist, 'pa fath o fargen fyddai hi, a bwrw eich bod yn ennill yr holl fyd, a cholli eich enaid eich hun?' 'Canys pa lesâd i ddyn, os ennill efe yr holl fyd, a cholli ei enaid ei hun?' (Math.16:26a).

Yn drydydd, rhoi coel i'r dybiaeth y bydd Duw yn barod iawn i dderbyn rhywbeth arall, tipyn llai costus, 'yn gyfnewid am ei enaid'. 'Pam y dylwn i ildio fy mywyd i gyd i Dduw?' meddai, 'Fe fydd Duw yn siŵr o fodloni ar hyn a hyn o'm hamser, dogn o'm meddiannau. Fe gaf innau reoli'r gweddill fel y mynnaf.'

Gwrandewch ar Iesu Grist yn mynd i'r afael â'r math yna o ymateb: 'Neu pa beth a rydd dyn yn gyfnewid am ei enaid?' gofynna (Math. 16:26b). Fe fyddai'n rhaid i'r hyn y byddai dyn yn ei gynnig fod yn dderbyniol gan Dduw. A dyna'r ergyd. Beth fyddai'n ogyfwerth â'i enaid—i Dduw? A'r gwir plaen yw, wnaiff Duw ddim bodloni ar ddim llai na'n bod yn ein rhoi ein hunain yn gyfan gwbl iddo. I'r diben hwnnw y'n creodd ni, ac ar yr amod hwnnw'n unig y cawn etifeddu bywyd tragwyddol. Nid oherwydd bod Duw eisiau ein rheoli fel Teyrn, fel y carai'r Diafol i ni gredu. Eisiau i ni fyw mewn cytgord ag Ef, ac â'i ewyllys berffaith, y mae Duw, a hynny yn rhannol oherwydd ei fod yn gwybod mai wrth wneud hynny y profwn ein dedwyddwch pennaf.

Rwy'n cofio'n iawn bod mewn cynhadledd i fyfyrwyr yn Aberystwyth. Fel y digwyddodd hi, roedd nifer o'r myfyrwyr wedi cael ar ddeall fod Pastor George Griffiths o Gwm-twrch ar ei wyliau yn Aberystwyth yr un wythnos. A'u syniad hwy oedd ein bod yn gofyn iddo a ddeuai atom i'r Gynhadledd i ddweud ychydig o hanes Diwygiad 1904 yng Nghwm Tawe. Roedd wedi cael tröedigaeth fawr yn y Diwygiad hwnnw ei hunan. Cytunodd i ddod.

Roeddwn i'n eistedd yn y cefn a'r ystafell yn llawn o bobl

ifainc. Dyma fo ar ei draed: gŵr hardd ei wedd gyda'i wallt claerwyn a'i safiad talsyth, un o'r dynion mwyaf urddasol a gyfarfyddais i erioed. Roeddwn i—a'r myfyrwyr yn sicr—yn disgwyl iddo gychwyn trwy wneud gosodiad trawiadol a chofiadwy am Ddiwygiad. Pregethwr felly oedd o, hynod braff a diwastraff ei eiriau. Wedi edrych yn hamddenol ar ei gynulleidfa, meddai gan wenu, 'Wyddoch chi eich bod chi'n edrych ar hen ŵr sydd gyda'r hapusaf a fu byw erioed.' Ac yna, yn gwbl ddifrifol, meddai: 'Ac mi ddyweda' i wrthych chi pam. Rydw i wedi byw i Dduw ac i'w bobl.'

Ac y mae dynion am i ni gredu y byddwn ar ein colled os rhown ein heneidiau yn ôl i Dduw! Fel arall yn hollol y mae ei deall hi.

Mae angen dewrder aruthrol i ddweud wrth ddynion bod yn rhaid iddyn nhw ildio'u bywydau'n llwyr i Dduw, ac mai trwy wneud hynny'n unig, a chredu yn ei Fab, y bydd iddyn nhw etifeddu bywyd tragwyddol. Mae'n haws o lawer cael dynion i wneud penderfyniad sydyn ar ddiwedd cyfarfod, heb holi gormod i weld a yw hynny'n wir amdanynt ai peidio. Mae'n llawer haws sôn am bechod yn gyffredinol, heb ddod â'r neges gartref i galon pechadur mai hyn y mae Duw, ei Grëwr, yn gyfiawn yn ei ofyn ganddo.

Profiad trist i'r eithaf yw cyfarfod rhai a fu'n dilyn crefydd am gyfnod, ond sy'n cyfaddef yn ddiweddarach na ddywedodd neb wrthyn nhw fod yn rhaid i hyn ddigwydd mewn gwirionedd yn eu hanes. (Nid fod hynny'n eu hesgusodi o'u cyfrifoldeb —ond bod hynny wedi cael digwydd yn eu hanes a hwythau'n troi ymhlith disgyblion honedig Iesu Grist.) Fe ddylai ddifrifoli pob un ohonom i gofio pa mor aml y mae Iesu Grist yn namhegion y Deyrnas yn sôn am y dynwaredwyr a gaiff eu symud o'i Deyrnas yn Nydd y Farn. Y maen prawf bryd hynny fydd: a fuon nhw'n gwneud ewyllys Duw ar y ddaear:

> 'Nid pob un sydd yn dywedyd wrthyf, "Arglwydd, Arglwydd", a ddaw i mewn i deyrnas nefoedd, ond yr hwn sydd

> yn gwneuthur ewyllys fy Nhad yr hwn sydd yn y nefoedd. Llawer a ddywedant wrthyf yn y dydd hwnnw, "Arglwydd, Arglwydd, oni phroffwydasom yn dy enw di, ac oni fwriasom allan gythreuliaid yn dy enw di, ac oni wnaethom wyrthiau lawer yn dy enw di?" Ac yna y dywedaf yn eglur wrthynt, "Nid adnabûm chwi erioed; ewch ymaith oddi wrthyf, chwi weithredwyr drygioni."' (Math. 7:21–23).

Ga' i apelio atoch chi sy'n rhieni i gymryd y pethau hyn at eich calon? Mae hi mor hawdd gostwng y safon yn enw bod yn garedig wrth eich plant. Blant a phobl ifainc—mae hi mor hawdd i chwithau gydymffurfio â disgwyliadau eich rhieni a chymryd arnoch eich bod wedi ildio eich bywyd i Dduw a dim byd tebyg i hynny wedi digwydd yn eich hanes. Weinidogion—yn enw bod yn ddoeth a pheidio â thramgwyddo, mor hawdd ydyw i chwithau fodloni ar safon is er mwyn bod mewn ffordd i ddweud bod hwn ac arall wedi dod i gredu yn Iesu Grist dan eich gweinidogaeth, ac i hynny beidio â bod yn wir. Yn y penodau nesaf cawn sylwi ymhellach ar rai o'r ystyriaethau a ddylai ein cymell i fod yn fwy taer—ac yn fwy selog—yn ein cenhadu.

3
'O'm plegid i'

Hyd yma gwelsom fod Iesu Grist yn mynnu bod y sawl fu-asai'n ewyllysio'i ddilyn i fod yn barod i ymwadu ag ef ei hun a chodi'r groes, i golli bywyd a thrwy hynny ei gael. Wedi cydnabod hyn (fel sydd raid), mae'n eithriadol bwysig ein bod yn deall mai *rhan* o'r hyn a ddywedodd Iesu Grist ar y pwnc yw'r geiriau hynny: rhan allweddol mae'n wir ond rhan er hynny. Mae yna ymadrodd arall o'i eiddo, nad ydym wedi cyfeirio ato eto, sydd, o'i gydnabod, yn gweddnewid y sefyll-fa'n llwyr.

Cyfeirio'r ydym at eiriau a ychwanegodd Iesu Grist yng Nghesarea Philipi (neu'n fuan wedyn) pan esboniodd beth fyddai amodau derbyniad i'w deyrnas—geiriau y byddai'n hawdd iawn llithro heibio iddynt heb sylwi arnynt o gwbl. Yn Mathew 16 ac adnod 25 eglurodd fod y sawl sy'n dymuno'i ddilyn i fod i ildio eu bywydau i Dduw (a thrwy hynny ddod yn feddiannol ar fywyd tragwyddol a sicrhau cadwedigaeth eu heneidiau). Ond y tro hwn ychwanegodd yr ymadrodd holl-bwysig 'o'm plegid i' neu 'er fy mwyn i'. Dyma'i eiriau yn llawn: 'Canys pwy bynnag a ewyllysio gadw ei fywyd, a'i cyll; a phwy bynnag a gollo ei fywyd *o'm plegid i / er fy mwyn i* [neu, fel y mae Marc yn cofnodi, *'er fy mwyn i a'r efengyl'* (Marc 8:35)] a'i caiff.'

Mae'n arwyddocaol dros ben fod yr Esgob William Morgan, wrth gyfieithu'r ymadrodd hwn yn yr hen Feibl Cymraeg, wedi mynnu ei gyfieithu yn yr adnod sydd dan sylw (ac yn Math. 10:39) gyda'r geiriau 'o'm plegid i', er ei fod ef ei hun yn cyf-ieithu'r un ymadrodd yn Marc 8:35 gyda'r geiriau 'er fy mwyn i'. Beth allasai gyfrif am hyn, oherwydd erbyn hyn 'er fy mwyn i' yw'r geiriau a ddefnyddir yn ddieithriad i gyfieithu'r ymadrodd ym mhob un o'r cyfeiriadau hyn?

Does ond un esboniad posibl, ac y mae'n werth dal sylw arno. Arwyddocâd ôl-dremiol (*retrospective*) sydd i'r ymadrodd Groeg. Ei ystyr yw 'o'm herwydd i' neu 'o'm hachos i'. Gellir ei gyfieithu fel 'er fy mwyn i' dim ond cofio mai cyfeirio'n ôl y mae'r geiriau hynny at werthfawredd a haeddiant y gwrthrych y cyfeirir ato. Yr hyn oedd yn amlwg ym meddwl yr Esgob oedd y gellid rhoi ystyr arwrol i'r ymadrodd hwnnw yn yr adnod sydd dan sylw fel ei bod, yn lle rhoi'r pwyslais ar haeddiannau a rhagoriaethau Iesu Grist a'i efengyl ogoneddus, yn tueddu i osod y pwyslais ar yr hyn fyddai ei ddisgyblion yn ei wneud drosto. A'r Esgob yn yr achos hwn oedd yn iawn.

Y rheswm a ddylai dueddu calon onid gorfodi dynion i ildio eu bywydau i Dduw yw, yn syml, Iesu Grist. Hynny yw, mae bywyd a gwaith Iesu Grist wedi newid y sefyllfa i'r fath raddau fel ei bod nid yn unig yn drugaredd eu bod yn cael gwneud hynny, ond ei fod Ef yn haeddu iddynt wneud hynny. Neu, a'i roi mewn ffordd arall, nid eu bod yn gwneud hynny am ei bod yn ddyletswydd arnynt wneud hynny, neu oherwydd fod Duw yn mynnu'n gyfiawn eu bod yn gwneud hynny, ond oherwydd eu bod yn dymuno o galon wneud hynny, nid yn anfoddog ond gan ei chyfri'n fraint—'o'm plegid i a'r efengyl'!

Y rhesymau pam

Mae yna reswm arall dros ddymuno gwarchod yr ystyr hwn sydd i eiriau Iesu Grist yn y fan yma: y ffaith ei fod ef ei hun yn dweud mewn man arall (adnodau y byddwn ni'n edrych arnyn nhw'n fanylach yn ddiweddarach) nad yw'r sawl sy'n caru tad neu fam, mab neu ferch, yn fwy nag ef, yn deilwng ohono (Math. 10:34–37). Ym marn ystyriol a chyfrifol Iesu Grist, y mae Ef ei hun a'i Dad nefol yn haeddu cael eu caru â chariad mwy nag unrhyw gariad y gall plentyn ei deimlo tuag at dad neu fam, hyd yn oed y plant hynny a brofodd gariad y cyfryw ar ei orau.

O'r herwydd, nid gofyn i ni ein cysegru ein hunain i'w wasanaeth mewn ysbryd anfodlon, crintachlyd y mae Duw ond mewn ysbryd o ryfeddod at ei berson a chariad tuag ato—'O'm plegid i'. Yn wir, yr unig ymgysegriad i'w Berson ac i'w wasanaeth sydd yn dderbyniol ganddo yw ymgysegriad a fydd yn seiliedig ar gariad. 'Ti a geri yr Arglwydd dy Dduw' yw ei orchymyn cyntaf. A'r unig ufudd-dod i'r ail orchymyn, 'Ti a geri dy gymydog fel ti dy hun', sydd yn dderbyniol ganddo yw ufudd-dod y sawl, o gariad ato Ef ei hun yn y lle cyntaf, sydd yn fwy na pharod i gydymffurfio â'i ewyllys.

Mae'n werth sylwi fel y bu i Dduw drwy'r canrifoedd ymddwyn yn ysbryd yr egwyddor yma. Cyn rhoi'r gwaharddiad cyntaf i ddyn yn yr ardd gofalodd flaenori'r gwaharddiad ag amlygiad o'i fawrfrydigrwydd a'i haelioni, 'O bob pren o'r ardd gan fwyta y gelli fwyta.' Cyn trosglwyddo i'r genedl ddengair y gyfraith oedd i lywio'u bywyd er eu lles, gofalodd eu hatgoffa'n gyntaf pa fath Dduw ydoedd, 'Myfi yw yr Arglwydd dy Dduw yr hwn a'th ddug di allan o wlad yr Aifft.' Wrth wahodd pawb oedd 'yn flinderog ac yn llwythog' i ddod ato, mor dyner oedd Iesu Grist wrth eu sicrhau nad oedd gan y cyfryw ddim i'w ofni, 'canys addfwyn ydwyf a gostyngedig o galon', ond yn hytrach bod ganddynt bopeth i'w ennill, 'a chwi a gewch orffwystra i'ch eneidiau.'

A gaf fi ofyn cwestiwn yn y fan yma? Ai dyna'r argraff y byddwch chi'n ei gadael ar bobl? Nid sôn yr wyf am greu argraff ffals sy'n gwneud i bobl eraill deimlo braidd yn anesmwyth yn eich cwmni neu, hyd yn oed, yn ddistaw bach, chwerthin am eich pen. Rwy'n golygu eich bod chi eich hunain mor llawn o ryfeddod fod yr efengyl mor fawr, a'r Arglwydd Iesu Grist mor ogoneddus, fel bod dynion yn methu peidio â sylwi ar hynny, ac, o dipyn i beth, yn dechrau holi beth sydd gennych chi tybed nad ydyw ganddynt hwy.

Ond rhaid i ni wneud rhywbeth llawer iawn mwy na rhoi'r argraff ein bod yn credu fod Iesu Grist yn rhywun sy'n haeddu cael ei 'garu a'i glodfori'n fwy' na neb arall. Rhaid i ni egluro pam ein bod yn credu hynny. A ddylai hynny ddim bod yn anodd i'r un Cristion.

Er ein bod ar hyn o bryd dan orfod i'n cyfyngu ein hunain i'r adnodau yr ŷm yn eu hystyried, gallwn ddweud yn ddibetrus fod ynddynt hwy, ar eu pen eu hunain, ddigon o resymau dros ddweud fod Iesu Grist, o ran ei berson a'i waith, yn gyfryw fel y dylai pob pechadur, yn ddiymdroi, dderbyn ei wahoddiad ac ildio'u bywydau iddo a'i ddilyn.

'Pwy bynnag fyddo cywilydd ganddo fi a'm geiriau,' medd Iesu Grist, 'hwnnw fydd gywilydd gan Fab y dyn, pan ddelo yn ei ogoniant ei hun a'r Tad a'r angylion sanctaidd.' Digon teg, meddwn ninnau. Er na all neb ohonom werthfawrogi arwyddocâd yr ystyriaethau hyn yn llawn—a wnawn ni ddim chwaith nes byddwn yn y gogoniant—maent yn gyfryw fel y dylai'r un mwyaf calon-galed ohonom fedru ategu'i ddedfryd. Cywilyddio a ddylai ein hymateb ninnau fod wrth feddwl am y fath ymddygiad. Dyma rai ohonynt.

Yr ystyriaethau

1. Mae'r Arglwydd Iesu Grist yn estyn gwahoddiad grasol a chwbl ddilys i *unrhyw un* i ddod i'w ddilyn a thrwy hynny 'gadw ei einioes'. Sylwer ar adnod 24: '*Os myn neb* ddyfod ar fy ôl i, ymwaded ag ef ei hun, a chyfoded ei groes, a chanlyned fi.'

Mae'n wahoddiad 'grasol', meddwn, oherwydd yn ymhlyg ynddo y mae addewid o faddeuant llawn a rhad. Does dim sôn am benyd na chosb o fath yn y byd! Fel y cawn grybwyll gyda hyn—fe'i dioddefwyd ar eu rhan gan y sawl sy'n gwahodd. Mae'n wahoddiad 'dilys' oherwydd bod y gwahoddwr yn golygu'r gwahoddiad yn union fel mae'r geiriau'n sefyll. Gwir ryfeddol!

Un o'm cas bethau i—ac fe'i rhown yn uchel iawn ar y rhestr—yw'r bobl hynny sydd yn eich gwahodd i aros am baned o de, a chyn i chi gael cyfle i ystyried a ydych chi eisiau paned ai peidio, maen nhw'n ychwanegu—'Ydych chi'n siŵr na wnewch chi ddim aros?' A chwithau'n teimlo'n gwbl ddiymadferth yn gorfod cytuno, eich bod chi'n siŵr 'nad ydych yn medru aros'. Cymryd arnyn nhw y maen nhw! Does dim byd fel yna yn perthyn i Iesu Grist. Fuasai'r Brenin Mawr ddim wedi rhoi'r anrhydedd iddo i fod yn Farnwr y byd pe buasai'n gwamalu neu'n camarwain dynion ynghylch peth mor fawr a thyngedfennol. 'Canys Mab y Dyn a ddaw yng ngogoniant ei Dad gyda'i angylion, ac yna y rhydd efe i bob un yn ôl ei weithred' (Math. 16:27).

2. Roedd Iesu Grist nid yn unig yn gwahodd pawb, roedd o'n gwneud hynny o galon gywir a gyda theimlad. Fe'i gwelwch yn y ffordd mae'n ymresymu â'i gynulleidfa. Nid gosod y telerau i lawr yn oeraidd y mae, fel pe na bai'r achos yn golygu fawr ddim iddo—a fyddent yn ymateb i'w wahoddiad ai peidio. Mae'n ymresymu'r ffordd hyn ac yna'r ffordd arall, yn ceisio darbwyllo a pherswadio. Fedrwch chi ddim peidio ag ymdeimlo â'r angerdd sydd yn ei eiriau.

- Sylwch eto ar adnod 26a, *'Canys pa lesâd i ddyn, os ennill efe yr holl fyd, a cholli ei enaid ei hun?'* 'Ystyriwch o ddifri,' meddai, 'pa lesâd a fyddai i ddyn'—ac yn lle dweud 'pe byddai'n ennill ffarm neu ddwy, neu ddarn o dir', yr hyn ddywedodd oedd—'pe byddai'n ennill yr holl fyd'! Mae'n osodiad aruthrol. Ond dyna a ddywedodd. 'Rhowch y cwbl yn y fargen,' meddai, 'faint o les fyddai fo yn y diwedd, a'r person yn colli ei einioes ei hun!' Dyna pa mor werthfawr yw'r bywyd y mae Iesu Grist yn ei gynnig i ni—mwy gwerthfawr na phe baech yn meddiannu'r holl fyd.
- *'Neu, pa beth a rydd dyn yn gyfnewid am ei enaid?'* gofynna (adnod 26b). Hynny yw, a chymryd eu bod nhw'n cael caniatâd i 'gadw' eu heneidiau eu hunain iddynt eu hunain, beth fuasai ganddyn nhw i'w gynnig i Dduw yn gyfnewid am eu heneidiau a fuasai'n dderbyniol ganddo? Nid yw Iesu Grist hyd yn oed yn cynnig ateb i'w gwestiwn. Fe ddylai'r ateb fod yn amlwg i bawb. Ond mae'n ei ofyn, am ei fod am i ni ei ofyn—a wynebu'r ateb.

Mae yna ddigonedd o bobl a gadwodd awenau eu bywyd

yn dynn yn eu dwylo eu hunain sydd yn bwriadu tynnu sylw y Brenin Mawr yn Nydd y Farn at adroddiad y Capel, faint roeson nhw at yr achos, y ffaith eu bod wedi eu bedyddio, ac yn y blaen; a llawer rhagor, yn ein dyddiau ni, fydd yn cyfeirio at eu cefnogaeth i achosion dyngarol a da—yn gyfnewid am eu henaid! 'Moes i mi dy galon' yw unig delerau Duw, medd Iesu Grist.

3. Mae'n ymresymu â'i wrandawyr ac yntau'n gwybod yn union sut rai ydym ni o ran natur. Fe welwch hyn i ddechrau yn ei ddisgrifiad o'r genhedlaeth yr oedd yn ei chyfarch—'Canys pwy bynnag a fyddo cywilydd ganddo fi a'm geiriau yn *yr odinebus a'r bechadurus genhedlaeth hon*' (Marc 8:38).

Gan mai cyfeirio yr oedd at ei genhedlaeth ei hun, fe fyddai'n hawdd i rywun ddadlau na fyddai'r disgrifiad o angenrheidrwydd yn wir am bob cenhedlaeth. Cyn dod i'r casgliad hwnnw, fodd bynnag, sylwch at ba gamwedd y mae'n cyfeirio—bod yn 'gywilydd ganddo fi a'm geiriau'. Onid dyna adwaith pob cenhedlaeth pan fo rhywun yn awgrymu bod rhaid i ddynion ildio eu bywydau i Iesu Grist? Yn y fath gwmni, fe fyddai'r mwyafrif mawr yn teimlo'n bur anesmwyth, a dweud y lleiaf, os nad yn chwithig ac yn gas. Rhywun yn beiddio awgrymu bod galw ar ddynion i roi eu bywydau'n ôl i'r sawl a'i piau! Yr ymadrodd sy'n dod i feddwl dyn yw'r geiriau Saesneg cyfarwydd, 'You must be joking'.

Ystyriwch am eiliad y geiriau a lefarodd Iesu Grist wrth Pedr yn union cyn llefaru'r geiriau yr ŷm ni yn eu hystyried: 'Ac efe a drodd ac a ddywedodd wrth Pedr, "Dos yn fy ôl i Satan; rhwystr ydwyt ti i mi, am nad ydwyt yn synied y pethau sydd o Dduw, ond y pethau sydd o ddynion"' (Math. 16:23). Doedd Satan, meddai Iesu Grist, yn meddwl dim am bethau Duw ond am bethau dyn. Hynny yw, mae yna gyfatebiaeth rhwng pethau Satan a phethau dyn. Nawr pe bai Iesu Grist wedi dweud nad yw dynion yn meddwl dim am bethau Duw ond am bethau Satan, fe allech ddeall gosodiad felly. Ond yr hyn ddywedodd oedd, nad yw

Satan yn meddwl dim am bethau Duw ond am bethau dynion. Mae yna gyfatebiaeth rhwng pethau Satan a phethau dyn, ond gagendor arswydus rhwng y pethau hynny a phethau Duw.

Os yw hynny'n wir am Satan, mae'n wir hefyd am ddyn. Faint o amser mae dynion yn ei wario i feddwl am bethau Duw? Faint o ddiddordeb sydd ganddynt yn y pethau hynny sy'n deillio oddi wrth Dduw? Pryd clywch chi nhw'n gofyn, beth mae Duw yn ei feddwl? Onid y gwir yw eu bod naill ai yn ei anwybyddu'n gyfan gwbl neu'n meddwl amdano'n bennaf fel un sydd yn gyfrifol am edrych ar eu hôl—a gwae iddo fethu â gwneud hynny i'w bodlonrwydd!

O lafur ei enaid

4. Mae'n estyn y gwahoddiad i ddynion ei ddilyn ac yntau'n gwybod beth a olygai hynny iddo Ef mewn dioddefaint a phoen. Sylwch ar y geiriau proffwydol ond hynod drist (ar un olwg) a lefarodd wrth y disgyblion: 'O hynny allan y dechreuodd yr Iesu ddangos i'w ddisgyblion fod yn rhaid iddo fyned i Jerwsalem, a dioddef llawer gan yr henuriaid, a'r archoffeiriaid, a'r ysgrifenyddion, a'i ladd, a chyfodi y trydydd dydd' (Math. 16:21). Pam y rheidrwydd, meddech, a'r fath bendantrwydd?

Yn rhyfedd iawn mae Iesu Grist yn rhoi'r ateb ar y pedwerydd achlysur pryd y defnyddiodd y geiriau a fu'n sail i'n myfyrdodau. Fe'u gwelir yn Ioan 12:24–25: 'Yn wir, yn wir, meddaf i chwi, oni syrth y gronyn gwenith i'r ddaear a marw, hwnnw a erys yn unig; eithr os bydd efe marw, efe a ddwg ffrwyth lawer. Yr hwn sydd yn caru ei einioes a'i cyll hi, a'r hwn sydd yn casáu ei einioes yn y byd hwn, a'i ceidw hi i fywyd tragwyddol.'

Mae 'na sôn am reidrwydd yn rhan gyntaf adnod 24, onid oes? 'Oni syrth y gronyn gwenith i'r ddaear a marw, hwnnw a erys yn unig.' Rhaid i hynny ddigwydd cyn y ceir ffrwyth. 'Eithr os bydd efe marw, efe a ddwg ffrwyth lawer.' Sôn amdano'i hun yn marw y mae ac am y ffrwyth a fydd yn sicr o ddilyn. Ac yna mae'n mynd ymlaen, nid i sôn amdano'i hun, ond i egluro beth fydd y ffrwyth—geiriau sydd yn cael eu llefaru gan Iesu Grist y tro hwn gyda phwyslais cadarnach nag ar y troeon blaenorol, pan gyhoeddai hwy fel amodau derbyniad i'w Deyrnas. 'Yr hwn sydd yn caru ei einioes a'i cyll hi; a'r hwn sydd yn casáu ei einioes yn y byd hwn *a'i ceidw hi* i fywyd tragwyddol.' '*A'i ceidw hi* i fywyd tragwyddol', dyna'r pwyslais. Does dim gronyn o amheuaeth i fod—*a'i ceidw hi*. A hynny o ganlyniad i'r gronyn gwenith—sef Ef ei hun—yn disgyn i'r ddaear a marw. Fe fydd cynhaeaf!

Trwy'r farwolaeth honno, a thrwy honno'n unig, y daw hyn yn bosibl ym mywydau ei ddilynwyr. Fyddai dim gobaith i'r cyfryw gael bywyd, ar yr amod eu bod yn 'colli eu heinioes', yn 'marw i'r hunan', yn 'ymwadu â nhw eu hunain', *nac ar unrhyw amod arall*, oni bai fod Un arall wedi marw drostynt, fel bod y penyd yr oeddent hwy yn ei haeddu am fyw iddynt hwy eu hunain cyhyd, ac am eu holl bechodau, yn cael ei briodoli'n llawn a'i ddioddef gan yr Un hwnnw yn eu lle.

Fe geir yr un dilyniant meddwl yn union yn adnodau 31 a 32: 'Yn awr y mae barn y byd hwn; yn awr y bwrir allan dywysog y byd hwn.' Cyfeirio ato'i hun y mae yn gyntaf unwaith eto, ac at yr hyn a fyddai'n cael ei gyflawni trwyddo ar Galfaria. Ond yn dilyn ceir y ffrwyth: 'A minnau, os dyrchefir fi oddi ar y ddaear, a dynnaf bawb ataf fy hun.' (Nid 'os' o amheuaeth, fel y byddai ein tadau'n arfer dweud, ond 'os' o gadarnhad, os bu un erioed.) Fe fyddai'n rhaid iddo Ef, yn gyntaf, ddioddef marw'r Groes. Ond wedi hynny—'Mi a dynnaf bawb ataf fy hun.'

Yr hyn sy'n holl-bwysig i ni ei sylweddoli yw fod Iesu Grist yn gwahodd rhai cwbl annheilwng i'w Deyrnas ac yntau'n gwybod maint y dioddef yr oedd hynny'n mynd i'w olygu iddo Ef ei hun. Os arhoswn gyda'i eiriau yn Ioan 12 am ychydig ymhellach, gwelwn beth arall.

Oherwydd y llawenydd

5. Mae'n estyn y gwahoddiad yma i bechaduriaid—gan lawn sylweddoli beth oedd hynny'n mynd i'w olygu iddo ef ei hun—

gan edrych ymlaen 'run pryd, *gyda bodlonrwydd mawr*, at y breintiau a'r bendithion fyddai'n dilyn ym mywydau'r sawl a fyddai'n dod i gredu ynddo.

Cyfaddefais yn barod mai un o'm cas bethau yw'r bobl hynny sy'n cymryd arnynt eu bod yn awyddus i chi dderbyn rhyw weithred o groeso neu o garedigrwydd ond sydd yr un pryd yn rhoi yn eich genau, fel petai, reswm dros i chi wrthod. (Prawf pendant nad oeddent yn ei feddwl ar y dechrau.) Os yw hynny'n wir, mae'r gwrthwyneb yn wir hefyd. Does dim sy'n ein gwneud yn hapusach na chael ein hargyhoeddi bod y croeso'n ddilys.

Dair blynedd ar hugain yn ôl, cafodd y wraig a minnau y fraint o fynd i'r Wladfa. Un o'n profiadau hyfrytaf oedd aros ar aelwyd dau Gristion yn Nhrefelin wrth odre'r Andes—Dennis a Rosalia Jones. Roedd gan Mrs Jones ffordd neilltuol o hoffus o gyfleu ei hapusrwydd o'n cael i aros ar eu haelwyd. Bob hyn a hyn fe'i clywech yn yngan: 'O 'dwi'n hapis'. Nid 'hapus' oedd hi'n ei ddweud ond 'hapis', gan dynnu ei hun at ei gilydd yn dynn wrth ei ddweud.

Mae Iesu Grist yn cyfleu yr un peth yn union—ond llawer iawn rhagor—yn y geiriau hyn yn Ioan 12 wrth iddo feddwl am y 'ffrwyth lawer' sy'n mynd i ddeillio o'i aberth drud: 'A'r Iesu a atebodd iddynt, gan ddywedyd, "Daeth yr awr y gogonedder Mab y dyn. Yn wir, yn wir, meddaf i chwi, oni syrth y gronyn gwenith i'r ddaear a marw, hwnnw a erys yn unig; eithr os bydd efe marw, efe a ddwg ffrwyth lawer. Yr hwn sydd yn caru ei einioes a'i cyll hi, a'r hwn sydd yn casáu ei einioes yn y byd hwn, a'i ceidw hi i fywyd tragwyddol. Os gwasanaetha neb fi, dilyned fi; a lle yr wyf fi, yno y bydd fy ngwasanaethwr hefyd. Ac os gwasanaetha neb fi, y Tad a'i hanrhydedda ef . . . Yn awr y mae barn y byd hwn; yn awr y bwrir allan dywysog y byd hwn. A minnau, os dyrchefir fi oddi ar y ddaear, a dynnaf bawb ataf fy hun"' (Ioan 12:23–26; 31–32).

'O lafur ei enaid y gwêl, ac y diwellir,' meddai Eseia (Eseia 53:11). Bellach roedd y gwanc a'r eisiau a oedd yn ei enaid i gael ei ddiwallu'n llawn trwy'r hyn yr oedd i'w gyflawni yn ei ddioddefiadau a thrwyddynt. 'Yr hwn,' meddai awdur yr Epistol at yr Hebreaid, 'er mwyn y llawenydd o osodwyd o'i flaen, a ddioddefodd y groes, gan ddiystyru gwaradwydd' (Hebreaid 12:2).

Mae yna amodau derbyniad i Deyrnas Dduw fel sydd i bob teyrnas arall. Mae yna freintiau hefyd, a Gwaredwr yw Iesu Grist sy'n llawenhau yn yr adnodau hyn ei fod ar fin sicrhau'r breintiau hynny i'w bobl.

6. I ddod yn ôl at yr ystyriaeth gyntaf. Mae Iesu Grist yn estyn y gwahoddiad i ddynion ddod i'w ddilyn *ac yntau'n neb llai na Mab Duw ei hun.* Mae hynny'n oblygedig yng nghyffes Pedr, 'Ti yw'r Crist, Mab y Duw byw', yn y ffaith fod Iesu Grist yn derbyn y gyffes ac nid yn ei gwadu, fel y dylasai pe buasai'n anwiredd, ac yn y ffaith ei fod yn ei phriodoli, yn y fan a'r lle, i Dduw. Mae'n oblygedig hefyd yn ei gyhoeddiad ei fod am adeiladu Eglwys na allai pwerau'r tywyllwch mo'i threchu. Yn wir, daw ei Dduwdod i'r amlwg ym mhob sill a ddaeth o'i enau yng Nghesarea Philipi, ac nid mewn dim yn fwy nag yn yr ystyriaethau yr ydym wedi eu nodi'n barod.

Byddai'n wir dweud, fodd bynnag, y daw ei Dduwdod *yn fwy amlwg fyth* wrth wrando arno'n ymhelaethu ar y bendithion a'r breintiau a ddeuai i ran y sawl a fyddai'n ei ddilyn ar yr achlysur hwnnw pryd y cyfeiriodd at amodau derbyniad i'w Deyrnas am y tro olaf (Ioan 12:25–26). Gan fod angen cymryd gofal mawr wrth ddehongli ei eiriau, fe'u trafodwn yn llawn yn y bennod nesaf.

Ekkehard Kockrow yn 1946.

J. Elwyn Davies yn 1946.

Yr aduniad fis Awst 1996 hanner can mlynedd yn ddiweddarach. *(Llun: Gerallt Llywelyn)*

Wrth glwyd fferm Parciau Bach, Caernarfon, 14 Awst 1996.

Croeso Mr Richard Charles Parry, maer Caernarfon, ar lawnt y Castell.

Llun yr awdur gyda'i ŵyr bach Dafydd Elwyn (gweler t.26).

Pastor George Griffiths, 1886–1970
(gweler t.52).

Y Parch.T. Arthur Pritchard, 1917–97
(gweler t.135).

Yr awdur a'i briod ar rodfa'r môr yn Aberystwyth ar achlysur ei ymddeoliad, Awst 1990.

4
'Yn wir, Mab Duw oedd hwn'

Yn ôl geiriau rhyfeddol Iesu Grist, yn Ioan 12, adnodau 25 i 26, mae tri pheth yn mynd i ddigwydd i'w wasanaethwyr. Cyfeiriwyd at y cyntaf yn barod, ond fe'i nodwn unwaith eto:

1. *Adnod 25: 'Yr hwn sydd yn caru ei einioes a'i cyll hi, a'r hwn sydd yn casáu ei einioes yn y byd hwn, a'i ceidw hi i fywyd tragwyddol.'*

Dyna'r ergyd—a'i ceidw! Fel y gwelsom yn barod, does dim amheuaeth i fod. Dyma'r cynhaeaf sydd i ddilyn ei aberth drud. Mae gorfoledd yn ei eiriau.

2. *Adnod 26a: 'Os gwasanaetha neb fi, dilyned fi; a lle yr wyf fi, yno y bydd fy ngwasanaethwr hefyd.'*

At beth y mae Iesu Grist yn cyfeirio y tro hwn? Mae'n addo y caiff pob un sy'n ei wasanaethu ei ddilyn ond yn fwy na hynny y cânt fod gydag ef lle y mae ar y pryd. (Nid 'lle y byddwyf fi' a ddywedodd, ond 'lle yr wyf fi'.) Ac yntau ar fin eu gadael a dychwelyd i'r nefoedd at ei Dad!

Sylwch eto'n fanylach ar ei eiriau. Nid cyfeirio y mae at 'y lle' yr oedd 'yn mynd iddo', fel y gwnaeth droeon tua'r un adeg ag y llefarodd y geiriau hyn. Er enghraifft, pan oedd yn siarad â'r Iddewon, 'Lle yr wyf i yn myned, ni ellwch chwi ddyfod' (Ioan 8:21), ac â Phedr yn ddiweddarach, 'Lle yr ydwyf fi yn myned, ni elli di yr awron fy nghanlyn' (Ioan 13:36). Y tro hwn, roedd Ef yno'n barod: 'Lle yr wyf i, yno y bydd fy ngwasanaethwr hefyd.'

Lle roedd Iesu Grist felly pan lefarodd y geiriau rhyfeddol hyn? A meddwl amdano'n gorfforol, yn Jerwsalem yr oedd, yn ymgom â'i ddisgyblion yn fuan wedi i Andreas a Philip hebrwng y Groegwyr i'w gyfarfod a chyn i'w Dad nefol ei gyfarch yng nghlyw y dyrfa—a hwythau yn credu mai sŵn taran ydoedd, neu lais angel (Ioan 12:20–33). Dyna'r cyd-destun. Mae'r manylion yna i'w darllen. Ond go brin y buasai neb yn ei synhwyrau yn awgrymu mai at ei leoliad daearyddol yr oedd yn cyfeirio. At beth ynteu?

Ni fyddai'n anghywir dweud ei fod yn cyfeirio at un o'r bendithion mwyaf a ddaw fyth i ran ei ddisgyblion ar y ddaear, rhywbeth sy'n wir am bob Cristion.

'Lle yr wyf fi'

O drugaredd, fu dim rhaid i'r disgyblion aros yn hir am esboniad. Dyma'r hanes. Cyn pen yr wythnos yr oeddent gyda'i gilydd yn yr oruwchystafell. Wedi gwneud y cyhoeddiad aruthrol i'w ddisgyblion, 'Y neb a'm gwelodd i a welodd y Tad' (Ioan 14:9), aeth Iesu Grist yn ei flaen i egluro beth oedd natur y berthynas oedd yn bodoli rhyngddo a'i Dad nefol, y berthynas oedd yn gwneud hyn yn bosibl. 'Onid wyt ti yn credu fy mod i yn y Tad, a'r Tad ynof finnau?' Ond nid yn unig hynny. 'Y geiriau yr wyf fi yn eu llefaru wrthych, nid ohonof fy hun yr wyf yn eu llefaru; ond y Tad yr hwn sydd yn aros ynof, efe sydd yn gwneuthur y gweithredoedd' (Ioan 14:10). O ganlyniad i'r ddeubeth yna, y sawl a'i gwelodd 'a welodd y Tad'.

Yna, fe wnaeth gyhoeddiad pellach oedd lawn mor syfrdanol â'r cyhoeddiad cyntaf. 'Yn wir, yn wir, meddaf i chwi, yr hwn sydd yn credu ynof fi, y gweithredoedd yr wyf fi yn eu gwneuthur, yntau hefyd a'u gwna, a mwy na'r rhai hyn a wna efe; oblegid yr wyf fi yn myned at fy Nhad' (Ioan 14:12). *Yr oedd yr un peth yn mynd i ddigwydd rhwng Iesu Grist a'i ddisgyblion â'r hyn oedd wedi bod yn digwydd rhyngddo ef a'i Dad nefol.* Fe fyddai ei ddisgyblion yn cyflawni y gweithredoedd y byddai Ef ei hun yn eu cyflawni.

Fe fyddai geiriau'r apostol Paul, fel yr oedd ei yrfa yn dirwyn i ben, gystal â dim i esbonio'r hyn oedd ym meddwl Iesu Grist, 'Canys ni feiddiaf fi ddywedyd dim o'r pethau ni weithredodd

Crist trwof fi, i wneuthur y Cenhedloedd yn ufudd, ar air a gweithred' (Rhuf. 15:18). Fe fyddai dameg y Wir Winwydden, a draddododd Iesu Grist ychydig yn ddiweddarach y noswaith honno, hefyd yn dysgu'r un gwirionedd.

Ond sut y gallai'r disgyblion wybod beth fyddai Iesu Grist 'yn ei wneud' ac yntau newydd eu hysbysu ei fod ar fin dychwelyd at ei Dad? Roedd hi'n weddol hawdd i Iesu Grist wybod ymlaen llaw beth roedd ei Dad yn ei wneud. Rhannodd y gyfrinach â'i ddisgyblion yn gynnar yn ei weinidogaeth. Wedi cyfeirio at y ffaith na allai 'y Mab wneuthur dim ohono ei hunan' ond 'yr hyn a welo efe y Tad yn ei wneuthur' (Ioan 5:19) meddai, 'Y Tad sydd yn caru'r Mab, *ac yn dangos iddo* yr hyn oll y mae efe yn ei wneuthur' (Ioan 5:20). Ond beth am y disgyblion druan ac yntau'n eu gadael?

Mae'r ateb—neu hwyrach y dylasem ddweud y cyfarwyddiadau—yn dilyn, yn adnodau 13–27. A'r rhan allweddol o'r cyfarwyddiadau hynny yw, fod Iesu Grist yn hysbysu ei ddisgyblion fod yr un berthynas ysbrydol yn mynd i fodoli rhyngddo ef a'i ddisgyblion â'r berthynas oedd yn bodoli rhwng ei Dad ac yntau tra oedd yma ar y ddaear. (Ac at y berthynas honno'n dod yn ffaith y mae Iesu Grist yn cyfeirio yn yr ymadrodd yr ŷm ni'n ei ystyried yn Ioan 12:26.) Fel hyn y mae'r cyfarwyddiadau'n dechrau:

'A pha beth bynnag a ofynnoch yn fy enw i, hynny a wnaf, fel y gogonedder y Tad yn y Mab. Os gofynnwch ddim yn fy enw i, mi a'i gwnaf' (Ioan 14:13–14). Sylwch, mae'n ailadrodd yr addewid, air am air o'r bron, a hynny, mae'n amlwg, er mwyn rhoi pwyslais dwbl ar y gweithredydd—'hynny a wnaf', 'mi a'i gwnaf'. Dyna'i ateb i'w penbleth gyntaf. Fe fyddai'n gwneud yr hyn y byddent hwy yn ei ofyn 'yn ei enw'.

Ond pa fath ateb oedd hwn, ac yntau'n eu gadael? Sut y gellid disgwyl iddynt weddïo 'yn ei enw' (hynny yw, 'ar ei ran' neu 'drosto': dyna ystyr yr ymadrodd trwy'r Ysgrythur i gyd) ac yntau newydd eu hysbysu ei fod yn dychwelyd at ei Dad? Pe bai'n aros yn eu cwmni fe allent ymgynghori ag ef yn gyntaf ynghylch beth i weddïo amdano, a thrwy hynny gael eu hawdurdodi ganddo i weddïo am y cyfryw bethau 'yn ei enw'.

Gweddïo yn ei enw

Mae pedair rhan i ymateb Iesu Grist i'w hargyfwng. Dechreuodd trwy dynnu eu sylw at y wybodaeth oedd ganddynt yn barod amdano. Meddai, 'Os cerwch fi, cedwch [neu 'chwi a gedwch'] fy ngorchmynion.' Cyfeiriodd deirgwaith at hyn fel rhywbeth a fyddai'n eu nodweddu fel ei ddisgyblion (adnodau 15, 21 a 24). A'r trydydd tro (adnod 24)—os ewch i'r drafferth i ddarllen ei eiriau—fe welwch iddo ledu gorwelion ei osodiad fel ei fod yn cwmpasu nid ei orchmynion yn unig ond ei eiriau i gyd.

Ffordd Iesu Grist oedd hyn o bwysleisio na allai neb ei garu heb goleddu'r un pryd yr agwedd yma o barch ac o warchodaeth tuag at ei eiriau a'i ddysgeidiaeth—gan gynnwys yn arbennig ei orchmynion. ('Cadw' neu 'warchod' o'i gyferbynnu â 'gwrthod' neu 'roi heibio' yw ystyr y ferf yn y fan yma.) Yng ngoleuni'r cyd-destun, fodd bynnag—a does wiw i ni golli golwg ar hynny—ei reswm dros grybwyll hyn oedd atgoffa'r disgyblion, yn eu penbleth ac yntau'n eu gadael, fod ganddynt gorff o ddysgeidiaeth a fyddai yn eu cynorthwyo'n sylweddol iawn i 'weddïo yn ei enw', hynny yw, i weddïo'n unol â'i ewyllys, sef, ei orchmynion a'i eiriau.

Roedd cymaint â hynny'n barod o'u plaid. Yn awr at ei gyfraniad yntau: ail ran ei ateb.

'A mi a weddïaf ar y Tad, ac efe a rydd i chwi Ddiddanydd arall, fel yr arhoso gyda chwi yn dragwyddol, Ysbryd y gwirionedd, yr hwn ni ddichon y byd ei dderbyn, am nad yw yn ei weled nac yn ei adnabod ef, ond chwi a'i hadwaenoch ef, oherwydd y mae yn aros gyda chwi ac ynoch y bydd efe' (Ioan 14:16–17). Ac yna meddai: 'Ni'ch gadawaf chwi yn amddifaid; mi a ddeuaf atoch chwi' (adnod18).

A dyna ddiwedd ar eu hargyfwng. *Fe fyddai Iesu Grist yn ei bresenoli ei hun yn eu calonnau trwy fewn-breswyliad yr Ysbryd Glân.* (Ni ellir gwahanu personau'r Drindod: mae derbyn un yn golygu derbyn y tri.) Fe fyddai'n nes atynt wedyn nag ydoedd yn ystod dyddiau ei gnawd ar y ddaear! Ni ellid ei roi'n well nag yng ngeiriau Pantycelyn pan yw'n cyferbynnu cymdeithas â gwrthrychau 'nef a daear' â'i gymdeithas â'r Arglwydd Iesu Grist:

Eto nes wyt Ti i'm henaid,
A'th gyfeillach bur sydd fwy,
A chan' gwell, pan fyddych bellaf,
Na'u cyfeillach bennaf hwy.

Tra oedd Iesu Grist yma ar y ddaear, yr hyn oedd yn digwydd oedd bod ei ddisgyblion yn ei ddilyn ac yn eu rhoi eu hunain dan ei awdurdod. Bellach, hyn fyddai eu braint. Trwy fewn-breswyliad yr Ysbryd Glân yn eu calonnau—o ganlyniad i'r hyn ddigwyddai, nid ar ddydd y Pentecost, ond yn yr oruwchystafell (Ioan 20:22)—fe fyddai eu bywyd wedi ei guddio 'gyda Christ yn Nuw'. Fe fyddai 'undeb cyfriniol' wedi ei greu rhyngddynt ac Iesu Grist, a thrwy hynny rhyngddynt hefyd a Duw. A dyna ran pob un a ddaw i gredu yn Iesu Grist byth oddi ar hynny.

Mae Iesu Grist yn coroni'r cyfan trwy egluro fod hyn yn golygu y byddai'r un berthynas yn bodoli rhyngddynt hwy ac Ef (ac a'u Tad nefol) ag oedd yn bodoli rhyngddo Ef a'i Dad pan oedd yma ar y ddaear, 'Y dydd hwnnw y gwybyddwch fy mod i yn fy Nhad, a chwithau ynof fi, a minnau ynoch chwithau' (adnod 20). Mewn gair, lle roedd Iesu Grist trwy gydol ei yrfa ar y ddaear, sef 'yn y Tad' ('Credwch fi, fy mod i yn y Tad, a'r Tad ynof finnau' (Ioan 14:11)), fe fyddent hwythau bellach— trwy fewn-breswyliad yr Ysbryd Glân addawedig—'ynddo Ef' a thrwy hynny 'yn y Tad'.

A dyna'n hollol a ddywedodd a fyddai'n digwydd yn y geiriau yr ŷm ni yn eu hystyried yn y ddeuddegfed bennod, 'Os gwasanaetha neb fi, dilyned fi; a lle yr wyf fi, yno y bydd fy ngwasanaethwr hefyd' (adnod 26).

Fe fyddai'n demtasiwn aros gyda'i eiriau yn y bedwaredd

bennod ar ddeg oherwydd fod dwy ran bellach i'w ymateb i angen y disgyblion am gyfarwyddyd, cyn y gallent obeithio gweddïo dim 'yn ei enw'. Ceir y drydedd ran ar ddiwedd adnod 21: 'A'r hwn sydd yn fy ngharu i, a gerir gan fy Nhad i; a minnau a'i caraf ef *ac a'm hamlygaf fy hun iddo'*—ymadrodd (adnod 21b) sy'n cynnwys berf na ddefnyddir yn y ffurf yma yn unman arall yn yr efengylau ond sydd yn gallu golygu 'mi a wnaf fy mwriadau'n hysbys'. A daw'r bedwaredd yn adnod 26: 'Eithr y Diddanydd, yr Ysbryd Glân, yr hwn a enfyn y Tad yn fy enw i, efe a ddysg i chwi bob peth, ac a ddwg ar gof i chwi bob peth a ddywedais i chwi.'

Ond rhaid ymatal. Ein diddordeb, ar hyn o bryd, yw medru sylweddoli person mor fawr yw'r Hwn a lefarodd y geiriau hyn ac sy'n eu troi'n brofiad byw ym mywydau ei ddilynwyr. *Hwn yw'r Un sy'n gwahodd pechaduriaid ato, heddiw fel erioed.*

Rhydd brawf mwy syfrdanol fyth o'i Dduwdod yn y gosodiad a esyd ochr yn ochr â'r gosodiad yr ŷm newydd ei ystyried. ('Os gwasanaetha neb fi, dilyned fi; a lle yr wyf fi, yno y bydd fy ngwasanaethwr hefyd').

Y Tad a'i hanrhydedda

3. *Adnod 26b: 'Ac os gwasanaetha neb fi, y Tad a'i hanrhydedda ef.'*

Sylwch ar y modd y mae'n ailadrodd yr amod, 'os gwasanaetha neb fi', ac yna'n ychwanegu'r addewid, 'y Tad a'i hanrhydedda ef.'

Un o'r pethau rhyfeddol a ddywedodd Iesu Grist amdano'i hun (pan oedd ei wrthwynebwyr yn ei ddilorni i gymaint graddau) oedd y byddai'r Tad yn ei anrhydeddu. 'Fy Nhad yw'r hwn sydd yn fy ngogoneddu i' (Ioan 8:54). 'Nid wyf fi yn ceisio fy ngogoniant fy hun; *y mae a'i cais*, ac a farn' (Ioan 8:50). Yn awr, mae'n mynd mor bell â dweud y byddai'r Tad hefyd yn anrhydeddu y sawl a fyddai'n ei wasanaethu Ef ar y ddaear.

Yr hyn sy'n hynod ynghylch y gosodiad hwn yw'r ffaith mai dyma egwyddor fawr ymwneud Duw â'i bobl drwy'r canrifoedd:

'Fy anrhydeddwyr a anrhydeddaf fi, a'm dirmygwyr a ddirmygir' (1 Sam. 2:30). *Mae Iesu Grist yn cyhoeddi y bydd Duw yn gweithredu yn ôl yr un egwyddor lle mae gwasanaeth a gwrogaeth iddo Ef ei hun yn y cwestiwn.* Ai geiriau diniweityn yw'r rhain: ai rhyfyg noeth? Ai ynteu enghraifft arall sydd yma o'r Arglwydd Iesu Grist yn ymddwyn mewn ffordd gwbl naturiol, yn datgelu'r ffaith mai Mab Duw ydoedd? Yn sicr gallwn ddweud na lefarodd yr un dyn arall, yn ei bwyll, erioed fel y llefarodd 'y dyn hwn' (Ioan 7:46).

Yn rhyfeddol iawn, yr unig lwybr sydd yn agored i ni geisio dirnad sut y bydd y Tad yn anrhydeddu 'gwasanaethwyr' Iesu Grist yw trwy edrych ar dystiolaeth yr Ysgrythur i'r ffordd y bu i'r Tad (ac y bydd iddo eto) ogoneddu neu anrhydeddu ei Fab. Ac fe allwn ychwanegu wrth fynd heibio fod y wybodaeth honno—gan ei bod yn cyfeirio at ddigwyddiadau hanesyddol diymwad—yn ddigon o brawf nad siarad ar ei gyfer yr oedd Iesu Grist.

Wrth ddilyn y trywydd hwn, fodd bynnag, rhaid fydd osgoi unwaith eto y demtasiwn i ymhelaethu gormod. *Ein bwriad yw tynnu sylw at pa mor fawr a gogoneddus yw yr Iesu hwn sy'n galw pechaduriaid i ddod ato.*

A'i osod yn gyffredinol iawn, fe ddywedem fod y Tad wedi anrhydeddu neu ogoneddu ei Fab mewn dwy ffordd: yn gyntaf, trwy ei gyfiawnhau (yn ystyr y gair Saesneg 'vindicate'), ac yn ail, trwy ei wobrwyo. Yn nannedd pob gwrthwynebiad ac enllib a dducpwyd i'w erbyn, *fe'i cyfiawnhawyd* ganddo, trwy ei atgyfodiad oddi wrth y meirw, ei esgyniad, a thrwy weinidogaeth yr Ysbryd Glân trwy'r canrifoedd. Fe'i *gwobrwywyd* ganddo trwy i'r Tad roi iddo 'enw yr hwn sydd goruwch pob enw, fel yn enw Iesu y plygai pob glin, o'r nefolion a'r daearolion a'r tanddaearolion bethau, ac y cyffesai pob tafod fod Iesu Grist yn Arglwydd, er gogoniant Duw Dad' (Phil. 2:9–11).

Yn yr un dwy ffordd fe fydd y Tad yn anrhydeddu gwasanaethwyr Iesu Grist. Fe'u *cyfiawnheir* ganddo, nid ger ei fron ef ei hun y tro hwn—sicrhawyd hynny trwy fywyd ac aberth iawnol

Iesu Grist ar y groes—ond gerbron eu gelynion. Er eu cyfrif gan ddynion yn ddim amgen nag 'ysbwriel y byd . . . a sorod pob dim' (1 Cor. 4:13), 'megis anadnabyddus, ac er hynny yn adnabyddus' (2 Cor. 6:9), daw'r dydd pryd y cânt eu hanrhydeddu gan Dduw ei hun—y dydd y mae'r apostol yn cyfeirio ato fel dydd 'datguddiad meibion Duw' (Rhuf. 8:19). Wedi gorfod gwisgo sawl llysenw difrïol yn ystod eu bywyd ar y ddaear, fe'u harddelir yn gyhoeddus ganddo y dydd hwnnw. Cânt eu cyfiawnhau'n agored: meibion Duw oeddynt wedi'r cyfan!

Cânt eu gwobrwyo ganddo hefyd. Os caf ddyfynnu'r cyfieithiad Saesneg o eiriau John Calfin, 'The Father will not leave Christ's servants unrewarded when they have been His inseparable companions in life and death' (Esboniad Calfin ar Ioan 12:26). Mae hwn yn rhan o wirionedd yr efengyl y buom yn euog iawn o'i esgeuluso, mewn ffug ostyngeiddrwydd—neu anghredinaeth. A hynny er i'r Arglwydd Iesu Grist sôn amdano'n fynych. Yn wir, mae un esboniwr diweddar yn mynd mor bell â dweud iddo ddod ar draws dros ddeugain o gyfeiriadau at y gwirionedd hwn yn Efengyl Luc yn unig. (John Piper, *Love your enemies* (Caergrawnt, 1979), tt.163–165). Gadewch i ni nodi rhai enghreifftiau o enau Iesu Grist ei hun.

Gwobrwyo ei blant

Dyna i chwi Iesu Grist yn cyfarch y sawl a'i gwahoddodd i'w dŷ (Luc 14:12–14): 'Ac efe a ddywedodd hefyd wrth yr hwn a'i gwahoddasai ef, "Pan wnelych ginio neu swper, na alw dy gyfeillion na'th frodyr na'th geraint na'th gymdogion goludog, rhag iddynt hwythau yn eu tro dy wahodd dithau, a gwneuthur yn eu tro ad-daliad i ti. Eithr pan wnelych wledd, galw'r tlodion, yr anafus, y cloffion, y deillion. A dedwydd fyddi, am nad oes ganddynt ddim i ad-dalu i ti; *canys fe a ad-delir i ti yn atgyfodiad y rhai cyfiawn.*"'

Yna wrth anfon ei ddisgyblion ar eu taith genhadol gyntaf (Math. 10:40–42): 'Y neb sydd yn eich derbyn chwi, sydd yn fy nerbyn i; a'r neb sydd yn fy nerbyn i, sydd yn derbyn yr hwn a'm danfonodd i. Y neb sydd yn derbyn proffwyd yn enw proffwyd, *a dderbyn wobr proffwyd*; a'r neb sydd yn derbyn un cyfiawn yn enw un cyfiawn, *a dderbyn wobr un cyfiawn.* A phwy bynnag a roddo i'w yfed i un o'r rhai bychain hyn ffiolaid o ddwfr oer yn unig, yn enw disgybl, yn wir meddaf i chwi, *ni chyll efe ei wobr.'*

Pum gwaith mewn pum cyd-destun gwahanol yn y Bregeth ar y Mynydd mae Iesu Grist yn sôn am Dduw yn gwobrwyo neu'n talu i'w blant—am ddioddef erledigaeth, am garu gelynion, am wneud elusen yn y dirgel, am weddïo yn y dirgel, am ymprydio. Ac yn y gyntaf a'r drydedd o'r enghreifftiau hyn mae'n gwneud yn gwbl glir ei fod yn cyfeirio at wobrwyo a fydd yn digwydd yn y nefoedd.

Ac os nad yw'r dyfyniadau yna yn ddigonol i'n hargyhoeddi, beth am eiriau'r apostol Paul yn ei lythyr cyntaf at yr eglwys yng Nghorinth (1 Cor. 3:13–15): 'Gwaith pob dyn a wneir yn amlwg; canys y dydd a'i dengys, oblegid trwy dân y datguddir ef, a'r tân a brawf waith pawb, pa fath ydyw. Os gwaith neb a erys, yr hwn a oruwch adeiladodd ef, *efe a dderbyn wobr*. Os gwaith neb a losgir, efe a gaiff golled; eithr efe ei hun a fydd cadwedig, eto felly, megis trwy dân.'

Nid ar sail ein gweithredoedd da y mae cadwedigaeth ein heneidiau'n dibynnu, ond ar sail gwaith gorffenedig Iesu Grist. 'Canys sylfaen arall ni all neb ei osod, heblaw'r un a osodwyd, yr hwn yw Iesu Grist' (adnod 11). Eithr, meddai'r apostol am y rhai a fyddai cadwedig, 'Os gwaith neb' o'r cyfryw a ddeil y prawf, 'efe a dderbyn wobr.' Oni ddeil y prawf, *'efe a gaiff golled*; eithr efe ei hun a fydd cadwedig, eto felly, megis trwy dân' (adnodau 14-15).

* * * * * *

Oedwn yn fwriadol am ennyd i'n hatgoffa'n hunain o'r hyn a barodd i ni amlinellu'r nodweddion uchod i fywyd a gwaith Iesu Grist. Efe ei hun a ddywedodd mai 'O'i blegid ef a'r efengyl' y dylai pechaduriaid ymateb—ac ymateb yn gadarnhaol—i'w alwad ar iddynt ymwadu â nhw'u hunain, codi'r groes a'i ddilyn.

Beth yw'r ystyriaethau hynny unwaith eto? Y ffaith ei fod yn ddidwyll yn eu gwahodd a hynny o galon gywir i etifeddu bywyd tragwyddol yn rhad; y ffaith ei fod yn mynd i'r drafferth i ymresymu â nhw ac yntau'n gwybod sut rai oedden nhw, a beth yr oedd eu cadwedigaeth yn mynd i'w olygu iddo ef ei hun; y ffaith ei fod yn gwneud hynny gydag angerdd, nid yn ddidaro ond yn daer; ac yn olaf oherwydd ei fod yn Fab Duw—y person sydd mor werthfawr yng ngolwg y Tad fel y bydd yn 'anrhydeddu' pawb a rydd eu bywydau iddo i'w wasanaethu.

Pam trafferthu?

Ond y mae rheswm arall dros restru'r ystyriaethau uchod, rheswm pwysig iawn, yn enwedig i'r rhai hynny sy'n ymwybodol o'u cyfrifoldeb i efengylu. Mae rhai yn dadlau—heddiw fel yn y gorffennol—mai gwastraff amser ydyw dweud y pethau hyn wrth bawb. Fel y mae'r Beibl yn dysgu, meddent, ddaw pobl ddim oni bai fod Duw yn rhoi'r gallu iddyn nhw i ddod. Yr unig bobl sydd i gael eu gwahodd at Iesu Grist, felly, yw'r rhai hynny sy'n dangos arwyddion o waith gras yn eu calonnau'n barod. Neu, fel y byddai rhai yn ei osod, yr unig rai sydd i'w gwahodd yw'r rhai sydd yn 'llwythog a blinderog' yn barod, o ganlyniad i ymyriad dwyfol. Yn wir, aiff rhai mor bell â dweud nad oes neb i feddwl dod at Iesu Grist oni bai eu bod hwy eu hunain yn feddiannol ar yr argyhoeddiad fod gwaith gras wedi dechrau yn eu calon yn barod, a bod Duw wedi rhoi sicrwydd iddynt, ymlaen llaw, eu bod ymhlith yr etholedig.

Ond, fel y gwelsom yn barod, roedd Iesu Grist yn gwahodd pawb! 'Os ewyllysia neb ddyfod ar fy ôl i.' 'Canys pwy bynnag a ewyllysio gadw ei einioes a'i cyll, a phwy bynnag a gollo ei einioes o'm plegid i a'i caiff.' Rhoddodd orchymyn pendant i'w ddisgyblion i fynd i'r holl fyd a phregethu'r efengyl i bob creadur. Mae'n mynd i ddal dynion yn gyfrifol am eu hymateb i'w eiriau. 'Canys pwy bynnag fyddo cywilydd ganddo fi a'm geiriau, bydd cywilydd gan Fab y dyn ohono yntau, pan ddelo yn ei ogoniant ei hun, a'r Tad, a'r angylion sanctaidd' (Luc 9:26).

Mae yna gyfeiliornad arall sydd, os rhywbeth, yn fwy fyth o rwystr i waith cenhadol: 'Pa werth sydd mewn dweud wrth bobl am ddod at Iesu Grist,' medd rhai, 'os ydynt yn farw'n ysbrydol?'

Maen nhw *yn* farw yn ysbrydol. Ond unwaith eto mae'n bwysig dros ben deall beth y mae hynny'n ei olygu. O ran adnabod Duw, maen nhw'n farw. Dyna pam fod angen bywyd arnyn nhw. A hanfod y bywyd hwnnw, fel y gwelsom, yw adnabod Duw, 'A hyn yw'r bywyd tragwyddol: iddynt dy adnabod di yr unig wir Dduw, a'r hwn a anfonaist ti, Iesu Grist' (Ioan 17:3). *Ond does dim amheuaeth bod y cyfryw yn deall geiriau Iesu Grist pan oedd yn egluro iddyn nhw beth oedd i ddigwydd yn eu bywydau o ran eu perthynas â Duw.* Os rhywbeth eu deall nhw'n rhy dda roedden nhw.

A ydych chi'n cofio geiriau Iesu Grist? 'Canys brasawyd calon y bobl hyn, a hwy a glywsant â'u clustiau yn drwm, ac a gaeasant eu llygaid; *rhag canfod* â'u llygaid, a chlywed â'u clustiau, a deall â'r galon, a throi, ac i mi eu hiacháu hwynt' (Math. 13:15). Mae gan bobl Sir Gaerfyrddin ymadrodd sy'n disgrifio'r math yna o wrando i'r dim: 'Cysgu ci bwtsiwr'. Taflwch chi asgwrn i gyfeiriad ci sy'n ymddangos fel pe bai'n cysgu ar lawr siop cigydd, mi agorith ei lygaid ar unwaith. Mae o yna i gyd.

Yr hyn y mae'r Beibl yn ei ddysgu am ddynion yw eu bod nhw'n anfodlon dod. 'Ni fynnwch chwi ddod ataf fi, fel y caffoch fywyd' (Ioan 5:40). 'A hon yw'r ddamnedigaeth, ddyfod goleuni i'r byd, *a charu o ddynion y tywyllwch yn hytrach na'r goleuni;* canys yr oedd eu gweithredoedd hwy yn ddrwg. Oherwydd pob un sydd yn gwneuthur drwg, *sydd yn casáu'r goleuni, ac nid yw yn dyfod i'r goleuni, fel na ddinoether ei weithredoedd ef'* (Ioan 3:19-20). Ac y mae'r anfodlonrwydd hwn—yn wir y casineb sydd yn eu natur yn erbyn Duw—yn lliwio ac yn ystumio'u holl ddeall. Maen nhw yn deall, ond maen nhw'r un pryd yn gweld rhesymau digonol dros iddyn nhw anwybyddu'r hyn maen nhw'n ei ddeall. Maen nhw'n analluog oherwydd eu bod nhw'n anfodlon.

Ond nid yw hynny'n cymryd dim i ffwrdd oddi wrth y ffaith

fod Iesu Grist yn galw ar bawb i ddod a'i ddilyn. Yn fwy na hynny, fel yr ydym wedi pwysleisio droeon, *mae Ef ei hun yn mynd i ddal dynion yn gyfrifol am eu hymateb i'r gwahoddiad.* Clywch ei eiriau, y tro hwn yn Marc 8:38: 'Canys pwy bynnag a fyddo cywilydd ganddo fi a'm geiriau yn yr odinebus a'r bechadurus genhedlaeth hon, bydd cywilydd gan Fab y dyn yntau hefyd pan ddêl yng ngogoniant ei Dad gyda'r angylion sanctaidd.' Wrth feddwl am ei gyfrifoldeb i farnu'n deg yn Nydd y Farn, y sefyllfa bryd hynny fydd, os byddant hwy wedi bod â chywilydd ohono Ef a'i eiriau, fe fydd ganddo yntau gywilydd ohonynt hwythau. 'Y rhai nid ydynt yn ufuddhau i efengyl Duw', meddai Pedr amdanynt (1 Pedr 4:17).

Ac y mae hyn yn ein harwain yn anochel at y trydydd a'r pedwerydd tro y llefarodd Iesu Grist y geiriau yr ydym yn eu hystyried—y geiriau sy'n sôn am golli a chadw einioes. Fe'u dyfynnwn yn llawn ar ddechrau'r bennod nesaf.

5
Caru a chasáu

Profiad cyfarwydd adeg etholiad yw gwrando ar aelodau seneddol yn cael blas ar gymharu'r hyn a ddywed un o'u gwrthwynebwyr â'r hyn a ddywedwyd ganddo'n flaenorol ar yr un pwnc. Does dim sy'n rhoi mwy o foddhad na medru profi bod y gwahanol osodiadau'n anghyson â'i gilydd! Wyneb yn wyneb â bygythiad o'r fath, cryfhau ei achos bob amser y mae'r sawl sy'n gofalu dangos bod yr hyn a ddywed yn unol â phopeth arall a ddywedodd ar y pwnc.

Ambell waith mae gofyn gorfodi'r sawl sy'n gwrando i ystyried yr hyn a ddywedodd y siaradwr yn flaenorol, nid er mwyn profi cysondeb y tro hwn, ond er mwyn cyfannu'r darlun. Dyna paham y bydd siaradwr profiadol yn aml yn apelio ar ei wrandawyr i ddwyn ar gof ei sylwadau blaenorol—os digwyddant fod yn berthnasol. Gwae fo os nad ydynt!

Mae hyn yn rhywbeth y dylem ninnau ei barchu wrth geisio deall y geiriau sydd gennym dan ystyriaeth. Ffordd Iesu Grist o dynnu sylw at y ffaith eu bod yn perthyn i'w gilydd oedd glynu bob tro wrth y patrwm o gyferbynnu dau fath o ymddygiad: cadw, ar y naill law, yn arwain at golli; a cholli, ar y llaw arall, yn arwain at gael.

Ar dri o'r pedwar achlysur y bu iddo wneud hyn, er dal at yr un patrwm, mae'n amrywio'i dermau ac yn lle sôn am gadw a chael mae'n sôn am garu a chasáu. O ystyried y geiriau hynny'n ofalus, mae'n amlwg mai yr un patrwm gweithredu sydd ganddo mewn golwg ond ei fod wedi amrywio'r termau *er mwyn cyfannu'r darlun.*

Mae'n bwysig, felly, wrth geisio'u dehongli, ein bod yn eu gosod ochr yn ochr â'i gilydd, heb esgeuluso, ac yn sicr heb anwybyddu, yr un ohonynt. Yn wir fe aem mor bell â dweud bod rhai o bregethwyr enwocaf Cymru yn y bedwaredd ganrif ar bymtheg wedi methu â gwneud cyfiawnder â rhai o'r adnodau hyn o ganlyniad i beidio â'u hesbonio gyda'i gilydd, yng ngoleuni ei gilydd.

Trown felly at yr adnodau sy'n sôn am 'garu a chasáu' yn hytrach na'r termau a ddefnyddiodd Iesu Grist yng Nghesarea Philipi, neu'n fuan wedyn, 'ceisio a chadw'. (I fod yn fanwl gywir dydi'r Arglwydd Iesu Grist ddim yn cyferbynnu'n llawn y ddau batrwm ymddygiad yn Luc 14:26, dim ond pwysleisio'r wedd negyddol ('ni chasao' . . . 'ni all fod') ond mae'r wedd gadarnhaol yn amlwg yn oblygedig yn y gosodiad.) Dyma nhw:

- *Mathew 10:37.* 'Yr hwn sydd yn caru tad neu fam yn fwy na myfi, nid yw deilwng ohonof fi; a'r neb sydd yn caru mab neu ferch yn fwy na myfi, nid yw deilwng ohonof fi.'
- *Luc 14:26.* 'Os daw neb ataf fi, ac ni chasao ei dad a'i fam, a'i wraig a'i blant, a'i frodyr a'i chwiorydd, ie, a'i einioes ei hun hefyd, ni all efe fod yn ddisgybl i mi.'
- *Ioan 12:25.* 'Yr hwn sydd yn caru ei einioes a'i cyll hi, a'r hwn sydd yn casáu ei einioes yn y byd hwn, a'i ceidw hi i fywyd tragwyddol.'

Y llwybr doethaf fydd canolbwyntio ein sylw'n gyntaf ar y gosodiad ynghylch beth ddylai agwedd disgyblion Iesu Grist fod tuag at eu teuluoedd (Math. 10:37 a Luc 14:26) a gadael y cyfeiriad at gasáu 'ei einioes ei hun' yn Luc 14:26 hyd nes y deuwn at y gosodiad cyfatebol yn Ioan 12:25, lle mae'n cael ei osod yn llawnach.

Casáu aelodau'r teulu!

Ar yr olwg gyntaf mae'n anodd iawn deall y fath eiriau, yn enwedig a hwythau'n dod o enau y sawl a ordeiniodd y teulu fel yr uned gymdeithasol bwysicaf un. Yn fwy difrifol fyth, mae'n ymddangos bod Iesu Grist yn Luc 14:26 yn rhoi gwarant i'w ddisgyblion dorri'r deg gorchymyn—neu o leiaf un ohonynt—sef y gorchymyn sy'n peri i ni anrhydeddu tad a mam. Onid Iesu Grist a orchmynnodd i'w ddisgyblion garu eu gelynion? Beth am deulu a cheraint—a ydym i'w casáu? Ai dyna'i feddwl? Fedr Iesu Grist ddim gwrthddweud ei orchmynion ei hun.

Anodd peidio â gwenu wrth weld ambell i esboniwr yn ymateb i'n penbleth trwy geisio lliniaru ychydig ar erwinder geiriau Iesu Grist. Cymerwch, er enghraifft, Hendriksen yn ei esboniad ar Efengyl Luc (14:26). Nid casáu oedd Iesu Grist yn ei olygu, meddai, ond caru llai. A'r prawf o hynny? Y ffaith bod y ddau ymadrodd fel petaent yn gyfystyr â'i gilydd yn Genesis 29:30–31. Yn adnod 31 darllenwn, 'A phan welodd yr Arglwydd mai cas oedd Lea [cas gan Jacob oedd Lea, neu fod Jacob yn casáu Lea], yna efe a agorodd ei chroth hi: a Rahel oedd amhlantadwy.' Ond yn yr adnod flaenorol, meddai, yr hyn a ddarllenwn am Jacob ydi (ad.30) '[A Jacob] a hoffodd Rahel yn fwy na Lea'. Doedd o ddim yn casáu Lea! Caru Rahel yn fwy na hi oedd o! Felly, medd Hendriksen, y mae deall yr ymadrodd yn Luc 14:26 (a Ioan 12:25 o ran hynny). Ac nid ef oedd y cyntaf i ddweud hynny.

Fedrwn ni ddim derbyn y math yna o esboniad, am reswm da a digonol. Mae Iesu Grist yn defnyddio'r un gair yn union mewn cysylltiadau eraill, a fuasai neb yn awgrymu mai 'caru llai' oedd yn ei feddwl bryd hynny. 'A chas fyddwch gan bawb oblegid fy enw i' (Math. 10:22). 'A chwi a gaseir gan yr holl genhedloedd er mwyn fy enw i' (Math. 24:9). 'Os yw'r byd yn eich casáu chwi, chwi a wyddoch gasáu ohono fi o'ch blaen chwi' (Ioan 15:18). Sut ynteu mae deall ei eiriau?

I fod yn gwbl deg, 'caru tad neu fam yn fwy na mi' a ddywedodd yr Arglwydd Iesu Grist y tro cyntaf y crybwyllodd y pwnc, a'r tro cyntaf hefyd y soniodd am 'golli a chadw einioes'. 'Yr hwn sydd yn caru tad neu fam yn fwy na myfi, nid yw deilwng ohonof fi; a'r neb sydd yn caru mab neu ferch yn fwy na myfi, nid yw deilwng ohonof fi' (Math. 10:37). Fe gytunai pawb fod byd o wahaniaeth rhwng peidio â charu rhywun yn fwy na rhywun arall, a gorfod casáu y cyfryw. Mae'r gofyn cyntaf yn ofyn mawr, ond mae'n fwy rhesymol ac yn llawer llai tramgwyddus na'r gofyn arall. Ond, os dyna ddywedodd Iesu Grist wrth anfon ei ddeuddeg disgybl i'w taith, nid dyna ddywedodd yn ddiweddarach: 'Os daw neb ataf fi, ac ni chasao ei dad a'i fam, a'i wraig a'i blant, a'i frodyr a'i chwiorydd, ie, a'i einioes ei hun hefyd, ni all efe fod yn ddisgybl i mi' (Luc 14:26).

Pwyso a mesur

Does ond un ffordd o bwyso a mesur geiriau fel y rhain. Rhaid osgoi'r demtasiwn i'w hynysu a cheisio'u dehongli ar eu pennau eu hunain: yn hytrach, rhaid gadael iddynt orwedd lle y maent, a'u hystyried yn ofalus yng ngoleuni'r cyd-destun.

Y cefndir yn Mathew 10 yw fod Iesu Grist wedi gorfod rhybuddio'i ddisgyblion, ar drothwy eu taith genhadol gyntaf, y caent hwy a'u dychweledigion eu casáu gan y byd a'u bod i ddisgwyl gweld hynny'n digwydd oddi mewn i'r cwlwm teuluol. 'Na thybiwch fy nyfod i ddwyn tangnefedd i'r ddaear: ni ddeuthum i ddwyn tangnefedd, ond cleddyf. Canys mi a ddeuthum i osod "dyn yn erbyn ei dad, a'r ferch yn erbyn ei mam, a'r ferch-yng-nghyfraith yn erbyn ei mam-yng-nghyfraith." A "gelynion dyn fydd aelodau ei dŷ ei hun"' (adnodau 34–36). A'i orchymyn i'w ganlynwyr dan yr amgylchiadau hynny oedd, nad oeddent i garu eu rhieni yn fwy nag ef. Ni soniodd yr un gair am orfod casáu aelodau'r teulu.

Beth yw'r cefndir yn Luc 14 ynteu? Rhywbeth tra gwahanol. Roedd Iesu Grist y tro hwn wedi ei wahodd i bryd o fwyd yng nghartref un o benaethiaid y Phariseaid. Wedi iacháu gŵr oedd yn glaf o'r dropsi, traddododd ddwy ddameg: y gyntaf wrth y gwahoddedigion, yr ail wrth y sawl a'i gwahoddodd. Yna, wrth ei glywed yn y ddwy ddameg yn sôn am wleddoedd, a sut i ymddwyn mewn perthynas â gwleddoedd, gan obeithio'n ddi-os wneud argraff ffafriol ar Iesu Grist, meddai un o'r gwahoddedigion, 'Gwyn ei fyd y neb a fwytao wledd yn nheyrnas Dduw' (Luc 14:15).

A barnu wrth ymateb Iesu Grist, ymddengys fod y gŵr wedi siarad mewn ysbryd goroptimistaidd, yn union fel petai'n awgrymu y buasai pawb yn siŵr o gytuno ag ef a derbyn y gwahoddiad i deyrnas nefoedd yn ddiymdroi. Ac fe draddododd Iesu Grist ddameg arall, dameg y tro hwn sy'n sôn am bawb a gafodd eu gwahodd i'r wledd yn eu hesgusodi eu hunain. *'A hwy oll a ddechreuasant yn unfryd ymesgusodi'* (Luc 14:18). 'Y cyntaf a ddywedodd wrtho, "Mi a brynais faes, ac y mae'n rhaid i mi fyned a'i weled. Gofynnaf i ti, cymer fi yn esgusodol." Ac arall a ddywedodd, "Mi a brynais bum iau o ychen, ac yr ydwyf yn myned i'w profi hwynt. Os gweli'n dda, cymer fi yn esgusodol." Ac arall a ddywedodd, "Mi a briodais wraig, ac am hynny nis gallaf fi ddyfod."' (adnodau 18–20). Yna, mae'n adrodd fel y cymerodd y brenin arno'i hun lenwi'i dŷ (adnodau 21–24).

Yr hyn sy'n cadw'r gwahoddedigion o'r wledd ym mhob achos yw pethau'r ddaear: adnod18, 'Mi a brynais faes'; adnod 19, 'Mi a brynais bum iau o ychen'; adnod 20, 'Mi a briodais wraig'. Rhag i'r drydedd enghraifft beri tramgwydd i neb, mae'n bwysig cydnabod mai perthyn i'r drefn ar y ddaear y mae bywyd priodasol hefyd. Mae hi'n drefn ogoneddus. Ond trefniant yw hi sy'n perthyn i'n bodolaeth ar y ddaear. 'Oblegid yn yr atgyfodiad,' medd Iesu Grist, 'nid ydynt nac yn gwreica nac yn gwra eithr y maent fel angylion Duw yn y nef.' Os oes un gosodiad yn y Beibl sy'n argyhoeddi'r sawl a brofodd fywyd priodasol hapus fod y nefoedd yn lle gogoneddus, hwn yw hwnnw. Mae'n gymorth hefyd i dderbyn y gwirionedd nad yw'r stad honno ar y ddaear—hyd yn oed ar ei gorau—i gael blaenoriaeth ar ein perthynas â Duw.

Yn ôl Luc *yn dilyn* y digwyddiadau hyn y llefarodd Iesu Grist y geiriau, 'Os daw neb ataf fi, ac ni chasao ei dad, a'i fam, a'i wraig, a'i blant, a'i frodyr, a'i chwiorydd, ie, a'i einioes ei hun hefyd, ni all efe fod yn ddisgybl i mi. A phwy bynnag ni ddyco ei groes, a dyfod ar fy ôl i, ni all efe fod yn ddisgybl i mi' (Luc 14:26–27). Pa mor fuan wedi'r digwyddiadau a groniclir ar ddechrau'r bennod y traddododd Iesu Grist y geiriau hyn, mae'n anodd dweud. Ond dan arweiniad yr Ysbryd Glân yn y fan hyn, yn union wedi adrodd yr hanes hwnnw, yr ychwanegodd Luc y sylwadau hyn o eiddo Iesu Grist. Mae'r ergyd yn ddigon amlwg i bawb ei gweld. *Mae disgyblion Iesu Grist i gasáu y nodwedd honno, yn eu rhieni a'u hanwyliaid pennaf hyd yn oed, sydd wrth wraidd eu dibristod a'u gwrthodiad o Dduw, a'r fateroliaeth sy'n peri iddynt wrthod gwahoddiad Duw i ddod i'r wledd.*

Cloriannu pellach

Ond dydi o ddim yn dilyn bod hyn yn wir am bob rhieni a phob un o'n ceraint, does bosib? Pa hawl oedd gan Iesu Grist i wneud gosodiad cyffredinol ysgubol fel hwn? Y trychineb yw, ei fod yn wir am bawb ohonom hyd nes y deuwn i'r fan lle y gwelwn ein camweddau yn y goleuni cywir ac y rhown ein heneidiau yn ôl i Dduw.

Ffordd yr apostol Paul oedd ei osod mewn geiriau plaen, 'Nid oes neb yn ceisio Duw', 'Syniad y cnawd sydd elyniaeth yn erbyn Duw; canys nid yw ddarostyngedig i ddeddf Duw', 'Dyn anianol nid yw yn derbyn y pethau sydd o Ysbryd Duw; canys ffolineb ydynt ganddo ef' (Rhuf. 3:11; 8:7; 1 Cor. 2:14). Ffordd Iesu Grist o ddysgu'r un gwirionedd oedd trwy gyfeirio fel hyn at deulu a cheraint.

A ffordd gelfydd iawn oedd hi. Oni bai eu bod hwythau'n barod wedi eu hennill i wasanaethu'r un Arglwydd, y bobl debycaf o lwyddo i osod rhwystrau yn ffordd disgyblion ifanc a dibrofiad Iesu Grist yw y rhai sydd anwylaf yn eu golwg. Rhaid felly eu rhybuddio ymlaen llaw. Y gwirionedd diwinyddol y mae Iesu Grist yn ei ddysgu yw, er bod y peth gorau posibl wedi digwydd i'w plant, bod yr elyniaeth sydd yng nghalonnau pob un ohonom yn erbyn y Duw sydd yn hawlio'r cyfan yn gyfryw fel eu bod yn sicr o osod rhwystrau yn eu ffordd. Cystal felly eu paratoi yn y ffordd effeithiolaf posibl.

Dydi Cristnogion ddim i gasáu gwahanol aelodau'r teulu am eu bod yn gas tuag atynt oherwydd eu bod yn ddisgyblion i Iesu

Grist. Ond y maent i gasáu y peth hwnnw yn eu natur sy'n peri iddynt fynnu cael rheoli eu bywydau eu hunain a rhoi eu bryd ar bethau'r ddaear, fel y mynnont hwy. *A'i gasáu yn fwy ynddynt eu hunain nag yn neb arall.* Sylwch ar bwyslais Iesu Grist yng nghymal olaf yr adnod yr ydym yn ei hystyried, 'Ie, a'i einioes ei hun' (Luc 14:26).

Pan gyfeiriodd Iesu Grist am y tro olaf—yn ôl y cofnod sydd gennym yn yr efengylau—at amodau ei ddilyn (Ioan 12:25), wnaeth o ddim crybwyll casáu neb arall, fel y gwnaeth yn yr hanes a groniclir yn Luc 14, dim ond casáu ein heinioes ein hunain. 'Yr hwn sydd yn caru ei einioes a'i cyll hi, a'r hwn sydd yn casáu ei einioes yn y byd hwn [hynny yw, casáu yr hyn ydym ohonom ein hunain, ar wahân i ras Duw], a'i ceidw hi i fywyd tragwyddol.'

'Ydi hyn yn iawn,' meddech, 'ein bod i gasáu ein heinioes ein hunain yn ogystal â chasáu eraill, oherwydd yr hyn ydym wrth natur? Yr hyn gaiff ei bwysleisio y dyddiau hyn yw ein bod i'n mynegi ein hunain, nid casáu ein hunain.' Ydi, mae'n eithriadol bwysig, am ddau reswm.

Gweld y pwynt

Yn gyntaf, fe allwn gymryd yn ganiataol na fyddai Iesu Grist ddim wedi peri i'w ddisgyblion ymddwyn fel hyn oni bai fod ganddo sail dda dros wneud hynny. Peth i'w gasáu â chas perff aith yw'r ysbryd o wrthryfela yn erbyn Duw (a byw'n annibyn-nol arno) sy'n nodweddu pob un ohonom wrth natur. Yr hyn ydyw mewn gwirionedd yw creadur o ddyn yn dal ei ddwrn yn wyneb yr Hollalluog Dduw am feiddio hawlio'i eiddo ei hun! Canlyniad y pechod sylfaenol hwn yw fod pob math o bechodau yn cael nythu yn ein calonnau. 'Allan o galon dynion y daw drwg feddyliau, torpriodasau, puteindra, llofruddiaethau, lladradau, trachwant, drygioni, twyll, anlladrwydd, drwg lygad, cabledd, balchder, ynfydrwydd. Yr holl ddrwg bethau hyn sydd yn dyfod oddi mewn, ac yn halogi dyn' (Marc 7:21–23). Maent yno'n nythu yn nirgelion y galon o hyd. Fel y mae ofn Duw yn diflannu o'r tir—rhywbeth a ddigwyddodd ar raddfa frawychus yn ystod oes rhai ohonom—maent yn 'dyfod' i'r wyneb i halogi dyn a chymdeithas, a hynny bellach gyda haerllugrwydd sy'n ddychryn i bawb.

Pan ychwanegwn fod y cyfryw, pan glywant am wahoddiad grasol Duw i'r wledd, yn ddieithriad yn ei wrthod (i ddechrau, o leiaf, yn hanes rhai)—'a hwy oll a ddechreuasant yn unfryd ymesgusodi'—mae'n ymddygiad sy'n haeddu ei gasáu'n ddidrugaredd.

Yn sicr fe fydd rhai sy'n darllen y geiriau hyn yn sylweddoli at beth y mae Iesu Grist yn cyfeirio pan fo'n sôn am 'gasáu ein heinioes ein hunain'. Yr enw y byddai ein tadau'n ei roi arno oedd 'argyhoeddiad o bechod' neu 'fynd trwy fwlch yr argyhoeddiad', ymadroddion na fyddwn byth braidd yn clywed eu defnyddio'r dyddiau hyn. Dyn yn ei weld ei hun yn ei gyflwr naturiol, yn byw iddo'i hun, i blesio'i chwantau ac i chwyddo'i enw da—heb feddwl o gwbl am Dduw—ac yn ei gasáu ei hun am hynny. Dyn yn gweld pechadurusrwydd pechod—a'i weld yn gyntaf, ac yn bennaf, ynddo ef ei hun—ac yn ei gasáu, o ran ei wreiddyn yn ogystal â'i ffrwythau oll.

Halen diflas

Ond, mae yna reswm arall pam ei bod yn holl-bwysig ein bod yn dweud wrth y sawl sydd am ddilyn Iesu Grist y bydd yn rhaid iddyn nhw gasáu y gynneddf yma yn eu perthnasau anwylaf—ac ynddynt hwy eu hunain yn anad neb. Wnân nhw ddim dal ati fel arall. Mewn byd pechadurus fel hwn, lle mae cymaint o bwys yn cael ei osod ar feddiannau a phleserau'r cnawd, mae hi'n mynd i fod yn anodd odiaeth ei ddilyn oni bai ein bod yn gadarn yn ein casineb tuag at yr elfen yma sydd ynom sy'n peri bod pob un ohonom wrth natur yn gwrthod ildio ein hunain i wasanaethu Duw.

Waeth heb â dweud wrth bobl am ymwadu â'r hunan, oni bai

eu bod wedi gweld bod y duedd yma i reoli ein bywydau ein hunain, gwadu hawliau cyflawn a chyfiawn Duw, a byw i bethau'r ddaear, yn rhywbeth sydd i'w gasáu. Dyna'r union wirionedd yr aeth Iesu Grist yn ei flaen i'w argraffu ar feddyliau'i ddisgyblion yn adnodau 28–33 sy'n dilyn (yn Luc 14).

Mae'r adnodau hynny'n dechrau gyda'r gair bach 'Canys'. Hynny yw, mae ganddo reswm dros ddweud yr hyn mae o newydd ei ddweud am orfod casáu y ceraint agosaf yn ogystal â'u heinioes eu hunain. 'Canys pwy ohonoch chwi â'i fryd ar adeiladu tŵr, nid eistedd yn gyntaf a bwrw'r draul, a oes ganddo a'i gorffenno? Rhag wedi iddo osod y sail, a heb allu ei orffen, ddechrau o bawb a'i gwelant ei watwar ef, gan ddywedyd, "Y dyn hwn a ddechreuodd adeiladu, ac ni allodd ei orffen." Neu pa frenin yn myned i ryfel yn erbyn brenin arall, nid eistedd yn gyntaf, ac ystyried a all efe â deng mil gyfarfod â'r hwn sydd yn dyfod yn ei erbyn ef ag ugain mil? Ac os amgen, tra fyddo efe ymhell oddi wrtho, efe a enfyn genhadau ac a ddeisyf amodau heddwch.'

Ac fe gewch ergyd y ddwy eglureb yn adnod 33 sy'n dilyn. 'Felly hefyd, pob un ohonoch chwithau nid ymwrthodo â chymaint oll ag a feddo, ni all fod yn ddisgybl i mi.' Mae dilyn Iesu Grist yn golygu croeshoelio'r hunan, ein hymrwymo ein hunain i wneud ei ewyllys gan roi ein cas ar bob byw arall. Mae'n golygu bod yn barod, os bydd galw am hynny, i ollwng ein gafael ar y cyfan a feddwn. A'i wneud yn llawen gan ei gyfri'n fraint.

Fe gewch yr un realaeth yn Luc 9:57–62, 'A bu, a hwy yn myned ar hyd y ffordd, ddywedyd o ryw un wrtho ef, "Arglwydd, mi a'th ganlynaf i ba le bynnag yr elych." A'r Iesu a ddywedodd wrtho, "Y mae gan y llwynogod ffeuau a chan adar yr awyr nythod, ond gan Fab y dyn nid oes lle y rhoddo ei ben i lawr"' (Luc 9:57–58). Mae dilyn Iesu Grist yn golygu bod yn barod i gael ein hamddifadu o gysuron cyfreithlon bywyd. Er mwyn iddo gyflawni'r hyn yr oedd Duw am ei gyflawni trwyddo, fe'i gofynnwyd gan Iesu Grist. Gall gael ei ofyn gennym ninnau.

'Ac efe a dywedodd wrth un arall, "Dilyn fi." Ac yntau a ddywedodd, "Arglwydd, gad imi yn gyntaf fyned a chladdu fy nhad." Eithr yr Iesu a ddywedodd wrtho, "Gad i'r meirw gladdu eu meirw, ond dos di, a phregetha deyrnas Dduw" (Luc 9: 59–60). Mae pregethu'r efengyl a llwyddiant honno i gael blaenoriaeth, *os bydd raid*, ar bob gweithgarwch dynol arall, hyd yn oed peth mor gysegredig â mynd i angladd tad.

'Ac un arall hefyd a ddywedodd, "Mi a'th ddilynaf di, O Arglwydd, ond gad i mi yn gyntaf ganu'n iach i'r rhai sydd yn fy nhŷ." A'r Iesu a ddywedodd wrtho, "Nid oes neb sydd yn rhoi ei law ar yr aradr, ac yn edrych ar y pethau sydd o'i ôl, yn gymwys i deyrnas Dduw."' (Luc 9: 61–62). Ffordd Iesu Grist oedd hyn o bwysleisio nad oes edrych yn ôl i fod. Mae ein bywyd o'r cychwyn i fod yn gyfan gwbl at ei wasanaeth. Rhaid glynu wrth yr ymrwymiad hwnnw heb edrych yn ôl o gwbl.

Daliwn ar ei eiriau olaf yn Luc 14. 'Da yw'r halen; eithr os â'r halen yn ddi-flas, â pha beth yr helltir ef? Nid yw efe gymwys nac i'r tir nac i'r domen, ond ei fwrw ef allan y maent.' Does dim sydd yn fwy trist na Christion a gollodd ei dystiolaeth (Luc 14:34–35).

Ai fel hyn y byddwch chi'n efengylu? Neu a fyddwch chi'n rhoi'r argraff mai peth hawdd yw dilyn Iesu Grist? Yn y gogoniant mi fydd yn ogoneddus hawdd. Ond dydi hi ddim felly ar hyn o bryd. Fyddwch chi'n dweud y gwir wrth bobl? Gallwn ddweud yn ddibetrus fod Iesu Grist wedi dweud y gwir, ac y dylem ninnau fod ar ein gorau'n ceisio gwneud hynny. Ei eiriau olaf un yn Luc 14 oedd, 'Y neb sydd ganddo glustiau i wrando, gwrandawed.'

6
Yr Ymyrrwr

Wedi ceisio ystyried beth yw amodau perthyn i Deyrnas Nefoedd a beth yw rhai o'r breintiau sy'n dilyn, daeth yn amser i ofyn, a wnaeth yr Iddewon a oedd yn gwrando ar Iesu Grist gymryd eu goleuo ganddo, ac ymateb yn gadarnhaol i'w wahoddiad? A'r ateb gonest ydi—naddo. 'Am nad ydynt yn credu ynof fi' oedd ei ddedfryd, ychydig ddyddiau cyn ei ymadawiad (Ioan 16:9).

Ystyriwch ei eiriau ar ddechrau ei weinidogaeth: 'Hon yw'r ddamnedigaeth, ddyfod goleuni i'r byd, a charu o ddynion y tywyllwch yn hytrach na'r goleuni' (Ioan 3:19). (Gydag esbonwyr eraill rwy'n cymryd mai geiriau Iesu Grist yw'r rhain ac nid sylwadau esboniadol awdur yr Efengyl, fel y myn rhai.) Gosodiad ydyw nid ynghylch yr Iddewon fel cenedl ond ynghylch dynion yn gyffredinol, 'caru o *ddynion* y tywyllwch yn hytrach na'r goleuni'. Ac nid am agwedd lac, ddihidio y mae Iesu Grist yn sôn, ond am ymlyniad afieithus, '*caru* o ddynion y tywyllwch yn hytrach na'r goleuni'.

Tebyg oedd ei ddedfryd fel roedd ei weinidogaeth yn dirwyn i ben. 'Jerwsalem, Jerwsalem, yr hon wyt yn lladd y proffwydi ac yn llabyddio'r rhai a ddanfonir atat, pa sawl gwaith y mynnais gasglu dy blant ynghyd, megis y casgl iâr ei chywion dan ei hadenydd, ond nis mynnech!' (Math. 23:37). Y tro hwn cyfarch 'ei eiddo ei hun' yr oedd, y genedl a gafodd ei pharatoi dros ganrifoedd lawer ar gyfer ei ddyfodiad. Er hynny, fe fyddem yn cyfeiliorni'n fawr pe tybiem fod cenhedloedd llawer llai breintiedig na hwy wedi ymddwyn yn wahanol yn y cyfamser.

A oedd hyn yn achos syndod iddo? Yr ateb unwaith eto yw,

nac oedd. Fel mae ei eiriau uwchlaw Jerwsalem yn profi, yr oedd yn achos gofid a digofaint iddo—ond nid syndod. Gwyddai beth fyddai raid iddo ddigwydd i ddynion cyn y byddent yn barod i dderbyn amodau derbyniad i mewn i'w Deyrnas. Bu'n rhan bwysig o'i weinidogaeth i egluro hynny'n ffyddlon i'w wrandawyr.

Mae'n werth sylwi ar rai o'r ffigurau a ddefnyddiodd i ddisgrifio'r newid sylweddol hwnnw. Y ffigur mwyaf syfrdanol o ddigon yw'r ffigur o gael eu haileni. Ond fe ddefnyddiodd ddarluniau eraill. Dywedodd, er enghraifft, y buasai'n rhaid 'troi' dynion a'u gwneud fel plant bychain cyn y gallent fyned i mewn i Deyrnas Nefoedd. Wedi dychweliad y deg a thrigain o'u cenhadaeth (Math. 11:25), ei ymateb cyntaf oedd diolch i'w Dad nefol 'am i ti guddio'r pethau hyn rhag y doethion a'r rhai deallus, a'u datguddio ohonot i rai bychain'. Yr unig rai a oedd i elwa oddi wrth y datguddiad oedd y rhai a fyddai'n ostyngedig 'fel rhai bychain'. Duw ei hun a ddeddfodd mai felly yr oedd hi i fod. Ond sut y deuai'r cyfryw i fod fel 'rhai bychain'? Clywch ei ateb (Math. 18:3): 'Oddieithr eich troi chwi a'ch gwneuthur fel plant bychain, nid ewch chwi ddim i mewn i deyrnas nefoedd.' Y sawl a bennodd yr amod yw'r un sydd yn ei dwyn i ben: 'eich troi'.

Ffigur arall a ddefnyddiodd oedd pren iach o'i gyferbynnu â phren afiach. Wrth sôn amdano'i hun fel yr Un cryfach a ddaeth i ddiarfogi'r cryf arfog ac i ysbeilio'i eiddo, dywedodd, gan gyfeirio at waith yr Ysbryd Glân ar galon dyn, fod rhaid gwneud dynion yn dda cyn y gellid gobeithio'u gweld yn dwyn ffrwythau da: 'Naill ai gwnewch y pren yn dda a'i ffrwyth yn dda, ai gwnewch y pren yn ddrwg a'i ffrwyth yn ddrwg' (Math. 12:33).

Dyna ffordd Iesu Grist o ddisgrifio'r gwaith yr oedd ef yn ei gyflawni trwy ei Ysbryd Glân pan oedd yn ysbeilio'r cryf arfog—a gwae'r neb a bechai yn erbyn yr Ysbryd Glân ac yntau wrth y fath waith gogoneddus. Fe allent bechu yn ei erbyn ef a derbyn maddeuant ond nid byth y maddeuid iddynt pe baent yn pechu yn erbyn yr Ysbryd Glân ac yntau wrth y fath waith.

Meddai ymhellach am y gweithgarwch hwnnw, 'Y neb nid yw gyda mi sydd yn fy erbyn, a'r neb nid yw yn casglu gyda mi sydd yn gwasgaru.' Does dim niwtraliaeth yn bosibl. Naill ai fe'n gwnaed yn bren da ac fe welir ffrwyth hynny yn y gefnogaeth lawn a rown i Iesu Grist a'i waith gwaredigol, neu fe'i gwrthwynebwn ac fe wasgarwn hyd y gallwn. Does dim llwybr canol.

'Na ryfedda'

Fel y mae ei sgwrs â Nicodemus yn profi, gwyddai Iesu Grist hefyd *pam* fod rhaid i rywbeth mawr ddigwydd i ddynion cyn yr aent i mewn i Deyrnas Nefoedd. Pan roes Iesu Grist ar ddeall iddo fod yn rhaid ei aileni, yr hyn y buasech wedi disgwyl iddo'i ofyn fuasai—'Pam? Beth sy'n bod arna' i fel bod rhaid i'r fath beth ddigwydd i mi?'

Beth feddyliech chi o berson, pe baech chi'n ei glywed yn dangos ei glyfrwch wedi i arbenigwr ddweud wrtho fod rhaid iddo gael llawdriniaeth fawr? Roedd cyfaill i mi sy'n weinidog yn Awstralia yn ddwys iawn ar y ffôn un bore yn holi beth oedd orau iddo'i wneud yn wyneb y ffaith fod ei feddyg newydd roi ar ddeall iddo y byddai raid iddo gael calon newydd. Deallais ar unwaith ei fod wedi bod ar y ffôn eisoes yn ymgynghori â dau weinidog arall o Brydain a oedd wedi ei gyfarfod, fel minnau, ar ymweliad ag Awstralia. Chlywais i mohono'n cymryd y peth yn ysgafn nac yn 'rhyfeddu' at y fath syniad.

Fe fyddai'n anodd i mi gondemnio Nicodemus oherwydd does gen i ddim cof i minnau ofyn y cwestiwn hwnnw chwaith. Cymryd ataf yn fawr wnes innau fod neb yn awgrymu bod rhaid i rywbeth mor chwyldroadol â hyn ddigwydd i berson fel fi. 'Pa fodd y dichon dyn ei eni, ac efe yn hen? A ddichon efe fyned i groth ei fam eilwaith, a'i eni?' oedd adwaith dibrisiol Nicodemus, a'm hagwedd innau.

Yr ail gwestiwn lled-sinigaidd a ofynnodd oedd, 'Pa fodd y dichon y pethau hyn fod?' Cafodd ateb athrawiaethol, cwbl annisgwyl i'r cwestiwn hwnnw. Fyddai dim modd i'r pethau hyn 'fod' oni bai am farwolaeth yr Arglwydd Iesu Grist ar y

Groes. 'Megis y dyrchafodd Moses y sarff yn y diffeithwch, felly y mae yn rhaid dyrchafu Mab y dyn, fel na choller pwy bynnag a gredo ynddo ef, ond caffael ohono fywyd tragwyddol.' 'Colli' fyddai'n digwydd oni bai am hynny, a dim gobaith i neb gael ei aileni.

Y cwestiwn y dylasai Nicodemus fod wedi'i ofyn ymhell cyn hyn oedd 'Pam fod rhaid i'r pethau hyn fod?' Er na ofynnodd y cwestiwn, cyn diwedd y sgwrs fe gafodd wybod 'pam'. Dyma'r esboniad (Ioan 3:19–21).

'A hon yw'r ddamnedigaeth, ddyfod goleuni i'r byd, a charu o ddynion' (sylwer eto, nid 'caru o'r Iddewon' ond 'caru o ddynion') 'y tywyllwch yn hytrach na'r goleuni; canys yr oedd eu gweithredoedd hwy yn ddrwg. Oherwydd pob un sydd yn gwneuthur drwg' (a phwy sydd nad ydyw'n gwneuthur drwg?) 'sydd yn casáu'r goleuni' (nid goddef hyd yn oed, 'casáu') 'ac nid yw yn dyfod i'r goleuni, fel na ddinoether ei weithredoedd ef. Ond yr hwn sydd yn gwneuthur gwirionedd, sydd yn dyfod i'r goleuni' (sut yn y byd, meddech, y maen nhw'n dod i'r goleuni os yw'r gosodiadau yma yn osodiadau cyffredinol: sut maen nhw'n dod, yn wahanol i bawb arall? Mae'r ateb yn dilyn) 'fel yr amlyger ei weithredoedd ef, mai *yn Nuw* y gwnaed hwynt.' Wrth ddod dydyn nhw ddim ond yn egluro bod Duw wedi ymyrryd yn eu bywyd.

Ac nid dyma'r unig dro y rhoes Iesu Grist ar ddeall i'w ddisgyblion, ac i'r bobl yn gyffredinol, ei fod yn gwybod pam fod rhaid i rywbeth mawr ddigwydd yn eu hanes cyn yr aent i mewn i Deyrnas Nefoedd. Pan ofynnodd ei ddisgyblion iddo pam ei fod yn llefaru ar ddamhegion, dyfynnodd eiriau deifiol Eseia i ddisgrifio'r 'bobl hyn' oedd yn gwrando arno: 'Canys brasawyd calon y bobl hyn, a hwy a glywsant â'u clustiau yn drwm, ac a gaeasant eu llygaid; *rhag canfod â'u llygaid, a chlywed â'u clustiau, a deall â'r galon, a throi, ac i mi eu hiacháu hwynt*' (Math. 13:15).

Meddai wrth yr Iddewon, 'Ond *ni fynnwch* chwi ddyfod ataf fi, fel y caffoch fywyd' (Ioan 5:40). 'Pwy bynnag sydd yn gwneuthur pechod, y mae efe yn gaethwas i bechod' (Ioan 8:34). Meddai'n ddiweddarach yng nghlyw y Phariseaid ac eraill, 'I farn y deuthum i'r byd hwn, fel y gwelai'r rhai nid ydynt yn gweled, ac yr elai'r rhai sydd yn gweled yn ddeillion' (Ioan 9:39). Anodd fyddai meddwl am gondemniad mwy diamwys a chlir o'r hunan-hyder sy'n nodweddu dynion yn eu stad wrthryfelgar yn erbyn Duw: prawf pendant fod yn rhaid eu troi a'u gwneud fel plant bychain cyn yr ânt i mewn i Deyrnas Dduw.

Yr Ymyrrwr Dwyfol

Wyneb yn wyneb â'r sefyllfa yma, gwnaeth Iesu Grist dri pheth arwyddocaol iawn yn ystod ei weinidogaeth—tri pheth sydd o'r pwys mwyaf ein bod ninnau'n dal sylw arnynt wrth feddwl am ein cyfrifoldeb i efengylu.

Yn gyntaf, eglurodd yn glir iawn beth oedd amodau derbyniad i Deyrnas Nefoedd gan danlinellu cyfrifoldeb dynion i ymateb a phaham y dylent wneud hynny. Rhaid i ninnau wneud yr un peth.

Yn ail, eglurodd beth fyddai raid iddo ddigwydd cyn y byddai dynion yn barod i dderbyn yr amodau hynny. Rhaid i ninnau fod yn barod i wneud hynny hefyd.

Yn drydydd, cyhoeddodd ddau beth amdano'i hun sydd, unwaith eto, o'r pwys mwyaf ein bod yn dal sylw arnynt. Yn gyntaf, hysbysodd ei ddisgyblion, ar waethaf pob gelyniaeth o gyfeiriad dyn, y byddai rhai yn derbyn amodau derbyniad i'w Deyrnas, a hynny o ganlyniad i'w ymyriad sanctaidd yn eu bywydau. Yn ail, proffwydodd y gwelid dyddiau pryd y dychwelid llaweroedd o'r cyfryw i'w deyrnas, wedi i'w yrfa ddaearol ddod i ben, a hynny o ganlyniad, unwaith eto, i'w ymyriad dwyfol.

Gwnaeth y ddau gyhoeddiad yng nghyd-destun yr adnodau yr ŷm ni yn eu hystyried mewn datganiadau a lefarwyd ganddo ar ddau achlysur tra gwahanol i'w gilydd. Cyfeiriwyd at yr achlysur cyntaf yn barod. Digwyddodd pan oedd Iesu Grist, yn gynnar yn ei weinidogaeth, yn anfon y deuddeg disgybl ar eu taith genhadol gyntaf (a phan soniodd gyntaf am gael einioes a'i cholli a cholli einioes a'i chael) (Math. 10:34–39). Digwyddodd yr ail fel yr oedd yn tynnu at ddiwedd ei weinidogaeth (Luc 12:49–53; gweler Rhestr C, t.93).

Y mae dwy ystyriaeth yn ein gorfodi i ystyried y geiriau hyn yn ofalus gyda'i gilydd. Yn gyntaf, ar y ddau achlysur y mae Iesu Grist yn esbonio'i bwrpas yn dyfod i'r byd. Ni allai unrhyw ddatganiadau o'i enau fod yn bwysicach. Yn ail, er bod misoedd lawer rhwng y ddau ddatganiad, mae ef ei hun yn tynnu sylw at bwysigrwydd ei eiriau trwy gadw'n glòs at yr un patrwm ymadrodd y ddau dro. Fel y gwelsom yn barod, nid rhywbeth damweiniol oedd hyn ond rhybudd i'w ddisgyblion sylwi'n ofalus ar ei eiriau—ar y gwahaniaethau yn ogystal â'r hyn sy'n gyffredin rhwng y ddau ddatganiad.

Gan eu bod gyda'i gilydd yn taflu goleuni ar agwedd allweddol ar y ffordd yr oedd Iesu Grist yn efengylu, ein braint ni, yn wahanol i'r disgyblion, yw medru eu hystyried ochr yn ochr â'i gilydd, heb orfod aros fisoedd lawer rhwng y ddau ddatganiad. Mantais fawr arall yw ein bod yn medru olrhain eu gwireddu ar lwyfan hanes. At hynny, os craffwn yn ofalus ar ei eiriau, cawn ddarlun godidog o'r hyn sy'n digwydd pan yw dyn yn cael ei aileni.

Nid cweryl ond cleddyf

Dechreuwn gyda'r cyhoeddiad cyntaf a welir yn Mathew 10:34–39. Trafod amodau derbyniad i'r Deyrnas fu ein diddordeb hyd yma: dyna paham y cyfyngwyd ein sylw yn ein pennod ddiwethaf i'r hyn a ddywedodd Iesu Grist yn adnod 37 o'r adnodau hyn: 'Yr hwn sydd yn caru tad neu fam yn fwy na myfi, nid yw deilwng ohonof fi; a'r neb sydd yn caru mab neu ferch yn fwy na myfi, nid yw yn deilwng ohonof fi.' Y tro hwn fodd bynnag fe fydd yn rhaid edrych ar y datganiad yn gyfan.

Dechreuwn trwy gydnabod bod y geiriau hynny (adnod 37) yn eiriau eithriadol iawn. Ar wefusau unrhyw un arall fe'u

RHESTR C

MATHEW 10:34–39

'Na thybiwch fy nyfod i ddwyn tangnefedd i'r ddaear: ni ddeuthum i ddwyn tangnefedd, ond cleddyf. ***Canys mi a ddeuthum i osod "dyn yn erbyn ei dad, a'r ferch yn erbyn ei mam, a'r ferch-yng-nghyfraith yn erbyn ei mam-yng-nghyfraith." A "gelynion dyn fydd aelodau ei dŷ ei hun." Yr hwn sydd yn caru tad neu fam yn fwy na myfi, nid yw deilwng ohonof fi; a'r neb sydd yn caru mab neu ferch yn fwy na myfi, nid yw deilwng ohonof fi.*** A'r hwn nid yw yn cymryd ei groes, ac yn canlyn ar fy ôl i, nid yw deilwng ohonof fi. Y neb sydd yn cael ei einioes, a'i cyll; a'r neb a gollo ei einioes o'm plegid i, a'i caiff hi.'

LUC 12:49–53

'Mi a ddeuthum i fwrw tân ar y ddaear, ac O na chyneuwyd ef eisoes! Eithr y mae gennyf fedydd i'm bedyddio ag ef, ac mor gyfyng yw arnaf hyd oni orffenner! Ydych chwi yn tybied mai heddwch y deuthum i i'w roddi ar y ddaear? Nage, meddaf i chwi, ond yn hytrach ymraniad. ***Canys bydd o hyn allan bump yn yr un tŷ wedi ymrannu, tri yn erbyn dau, a dau yn erbyn tri. Y tad a ymranna yn erbyn y mab a'r mab yn erbyn y tad, y fam yn erbyn y ferch a'r ferch yn erbyn y fam, y fam-yng-nghyfraith yn erbyn ei merch-yng-nghyfraith a'r ferch-yng-nghyfraith yn erbyn ei mam-yng-nghyfraith.'***

hystyrid yn eiriau gorffwyll gŵr rhodresgar a balch, neu eiriau'r gwan ei feddwl. Gwyddom yn well na chredu'r naill beth na'r llall am Iesu Grist. Na, dyma'i ffordd o ddweud ei fod o ran ei berson yn haeddu ei garu'n fwy na'n rhieni neu'n perthnasau agosaf. Tystiolaeth pawb a ddaeth i'w adnabod fyddai nad oes gronyn o ormodiaith yn ei eiriau.

Os yw'r geiriau hynny'n eithriadol, mae'r geiriau sy'n eu blaenori yn fwy rhyfeddol fyth: 'Na thybiwch fy nyfod i ddwyn tangnefedd i'r ddaear: ni ddeuthum i ddwyn tangnefedd, ond cleddyf. Canys mi a ddeuthum i osod "dyn yn erbyn ei dad, a'r ferch yn erbyn ei mam, a'r ferch-yng-nghyfraith yn erbyn ei mam-yng-nghyfraith". A "gelynion dyn fydd aelodau ei dŷ ei hun"' (Math. 10: 34–36).

Fe fyddai'n amhosibl credu bod Iesu Grist yn cyfeirio at greu mân helyntion rhwng gwahanol aelodau'r teulu—y math o wrthdaro parhaus y mae'r cyfryngau yn ein dyddiau ni yn rhoi lle mor amlwg iddo. Yn un peth, mae'r iaith yn rhy gryf o lawer: nid cweryl a ddywedodd, ond cleddyf. Yn ail, fe fyddai'n rhaid iddo fod yn rhywbeth mawr iawn iddo gael yr effaith—yn gyffredinol, cofier—o rwygo, i'r graddau hyn, uned mor glòs â'r uned deuluol, hyd yn oed pan fo honno ar ei gwannaf!

Gorchwyl ydoedd, serch hynny, yr oedd raid ei wneud: gorchwyl a gyfiawnhaodd ddanfon Mab Duw i'r byd i'w chyflawni. 'Canys mi a ddeuthum i osod "dyn yn erbyn ei dad, a'r ferch yn erbyn ei mam, a'r ferch-yng-nghyfraith yn erbyn ei mam-yng-nghyfraith".'

At beth y mae Iesu Grist yn cyfeirio? Gan mai Iesu Grist a fyddai'n gyfrifol am y weithred a chan ei fod yn y ddwy adnod nesaf (adnodau 37–38) yn tanlinellu ei deilyngdod i gael ei garu'n fwy na'r un o'n ceraint (a bod yn wrthrych ein teyrngarwch pennaf), ni allwn ond dod i'r casgliad ei fod yn cyfeirio ato'n newid natur gynhenid rhai aelodau o'r teulu nes eu gwneud yn gwbl wahanol i'r hyn oeddent ynghynt (a'r hyn y mae eu teuluoedd yn parhau i fod) fel bod hynny'n peri gwrthdaro ffyrnig o'r ddeutu! Ac os darllenwn y cyfeiriadau at y natur ddynol yng ngweddill ei genadwri i'w ddisgyblion ar y pryd, does dim rhaid gofyn i ba gyfeiriad y byddai'r newid hwnnw: 'Wele yr ydwyf fi yn eich danfon fel defaid yng nghanol bleiddiaid . . . Gwyliwch rhag dynion, canys hwy a'ch rhoddant chwi i fyny i'r cynghorau, ac a'ch fflangellant chwi yn eu synagogau' (Math. 10:16–17).

Yr hyn sy'n bwysig i ni sylwi arno yw fod Iesu Grist yn cyhoeddi ei fod wedi dod i'r byd i wneud hyn: nid i geisio'i wneud, ond i'w wneud. 'Canys mi a ddeuthum i osod dyn yn erbyn ei dad . . .' Mae hi'n ferf gref. Ar waethaf pob gelyniaeth a gwrthwynebiad o du dynion, diben ei ddyfodiad i'r byd oedd gweithio mor drylwyr ac effeithiol ar galonnau rhieni a phlant fel eu bod yn dod i'w adnabod a'i garu i'r fath raddau fel eu bod yn medru gwrthsefyll y gwrthdrawiad a ddilynai rhyngddynt a'u ceraint agosaf.

Yn y cyd-destun hwn y dywedodd Iesu Grist: 'Yr hwn sydd yn caru tad neu fam yn fwy na myfi, nid yw deilwng ohonof fi; a'r neb sydd yn caru mab neu ferch yn fwy na myfi, nid yw yn deilwng ohonof fi. A'r hwn nid yw yn cymryd ei groes, ac yn canlyn ar fy ôl i, nid yw yn deilwng ohonof fi' (adnodau 37–38). *Efe yw'r un sy'n cyflawni'r wyrth.* Ac yn wyneb y fath waredigaeth does ond un ymateb yn bosibl i'r sawl a'i profodd—diolchgarwch a chariad sy'n arwain at fywyd o ymgysegriad.

Ymhelaethu ar hyn a wnaeth yng Nghesarea Philipi pan soniodd amdano'i hun yn adeiladu ei eglwys ar y sail y byddai gwŷr a gwragedd, trwy ras Duw, yn cael profi yr un adnabyddiaeth ohono, a'r un cadarnhad, ag a fu'n brofiad i Pedr. '"Ti yw'r Crist, Mab y Duw byw." "Nid cig a gwaed a ddatguddiodd hyn i ti, ond fy Nhad . . . ac ar y graig hon yr adeiladaf fy eglwys"' (Math. 16:15–18).

Os er mwyn hyn y daeth efe i'r byd, ac os gwelwyd hyn yn digwydd ym mywydau llawer yn ystod ei oes fer (ac fe'i gwelwyd), beth tybed oedd i ddigwydd ar ôl ei ymadawiad? Trown am yr ateb i'r datganiad cyfochrog a geir yn Luc 12: geiriau sydd mor hynod debyg o ran eu ffurf a'u cynnwys i'r geiriau a lefarodd yn gynharach (ond sydd mor annhebyg mewn rhai manylion gwir arwyddocaol a phwysig), geiriau a lefarodd, y tro hwn, fel yr oedd dydd ei ymadawiad yn agosáu.

Tân ar y ddaear

'Mi a ddeuthum,' meddai, gan gyfeirio unwaith eto at un o ddibenion mawr ei ymgnawdoliad, 'i fwrw tân ar y ddaear' (Luc 12:49). Sylwer nad cyfeirio y mae y tro hwn at yr hyn a fuasai'n ei gyflawni ar y ddaear ('Myfi a ddeuthum i osod dyn yn erbyn ei dad, etc.') ond at yr hyn y byddai'n ei gyflawni wedi ymadael â'r ddaear, o'r tu allan iddi megis. Mae'r ferf 'i fwrw' yn golygu'r peth agosaf at daflu rhywbeth. Unwaith eto rhaid gofyn at beth yr oedd Iesu Grist yn cyfeirio.

Yn bendant nid at dân barn a chondemniad fel y myn rhai. Er bod 'tân' yn cael ei ddefnyddio yn yr Ysgrythur i gynrychioli barn, mae awgrymu iddo ddweud mai un o ddibenion mawr ei ymgnawdoliad oedd danfon barn ar y ddaear yn gwrth-ddweud ei eiriau ef ei hun—'Ni ddanfonodd Duw ei Fab i'r byd i ddamnio'r byd, ond fel yr achubid y byd trwyddo ef' (Ioan 3:17)—ac yn gwbl amhriodol i'w priodoli i'r hwn a ddywedodd wrth Iago ac Ioan—oedd am ddymuno tân i ddod i lawr i ddifa'r Samariaid (Luc 9:54–56)—'Ni ddaeth Mab y dyn i ddistrywio eneidiau dynion, ond i'w cadw.'

Mae'n wir iddo ddweud wrth y Phariseaid iddo ddod i'r byd i weithredu barn, yn yr ystyr y byddai ei fywyd a'i weinidogaeth yn dwysáu ac yn caledu tynged haeddiannol y rhai oedd yn 'gwybod y cwbl' o'u cyferbynnu â'r rhai oedd yn cydnabod eu bod yn ddall: 'Fel y gwelai'r rhai nid ydynt yn gweled, ac yr elai'r rhai sydd yn gweled yn ddeillion' (Ioan 9:39). Ond rhywbeth oedd i ddigwydd yn ystod ei yrfa ddaearol a fyddai'n parhau fel egwyddor ysbrydol oedd hynny. Proffwydodd hefyd farnedigaeth lem ar Jerwsalem ac ar y genedl. Ond unwaith eto, nid er mwyn bod mewn sefyllfa i fedru gweinyddu'r farnedigaeth honno y daeth i'r byd.

At beth yr oedd Iesu Grist yn cyfeirio ynteu? At yr hyn a oedd i ddigwydd ar ddydd y Pentecost—nid y tafodau tân gweledig yn ogymaint â'r tafodau a osodwyd ar dân drosto a thros ei efengyl, o ganlyniad i'r disgyblion gael eu bedyddio â'r Ysbryd Glân. 'Wedi ei ddyrchafu ef trwy ddeheulaw Duw, ac iddo dderbyn gan y Tad yr addewid o'r Ysbryd Glân, efe a dywalltodd y peth hwn yr ydych chwi yr awron yn ei weled ac yn ei glywed' (Actau 2:33). Mae gweddill ei ddatganiad yn profi'n derfynol mai hyn oedd ganddo mewn golwg.

'Ac O na chyneuwyd ef eisoes!' meddai—gymaint oedd ei awydd i fod mewn ffordd i fedru 'bwrw tân ar y ddaear'. 'Eithr,' meddai, 'y mae gennyf fedydd i'm bedyddio ag ef, ac mor gyfyng yw arnaf hyd oni orffenner.' Rhaid oedd i rywbeth arall ddigwydd yn gyntaf cyn y gallasai dywallt yr Ysbryd Glân—cyn y gallasai ddanfon y tân—cyfeiriad amlwg at ei farwolaeth ar y groes. Mor fawr oedd cyfyngdra ei enaid, meddai, hyd nes y buasai'r bedydd hwnnw trosodd. Ond yna—'bwrw tân ar y ddaear'.

Ac yna, fel y buasech yn disgwyl iddo'i wneud, mae'n mynd yn ei flaen i ddisgrifio effeithiau'r tân, gan ddefnyddio'r un symbolau ag o'r blaen (Math. 10:34–39) ond gan droi'r cyfan yn broffwydoliaeth ryfeddol:

> 'Ydych chwi yn tybied mai heddwch y deuthum i i'w roddi ar y ddaear? Nage, meddaf i chwi, ond yn hytrach ymraniad. Canys bydd o hyn allan bump yn yr un tŷ wedi ymrannu, tri yn erbyn dau, a dau yn erbyn tri. Y tad a ymranna yn erbyn y mab, a'r mab yn erbyn y tad, y fam yn erbyn y ferch a'r ferch yn erbyn y fam, y fam-yng-nghyfraith yn erbyn ei merch-yng-nghyfraith a'r ferch-yng-nghyfraith yn erbyn ei mam-yng-nghyfraith' (Luc 12:51–53).

Bydd o hyn allan

Y geiriau i ddal sylw arnynt yw'r ymadrodd 'bydd o hyn allan'. Does dim un amheuaeth a ddigwydd hyn ai peidio: 'Bydd o hyn allan'. Ac fe fyddai'r cyfan yn digwydd o ganlyniad iddo Ef ddanfon y tân! Fe fyddai'r uned gymdeithasol glosiaf, y fwyaf cysegredig o bob uned gymdeithasol arall, yn cael ei rhannu. Yr Arglwydd Iesu Grist, oedd ar fedr cael ei groeshoelio, fyddai'n gyfrifol am hynny.

Diweddwn, felly, trwy danlinellu arwyddocâd y tri gosodiad a wnaeth Iesu Grist ynghylch perthynas ei ddisgyblion â gwahanol aelodau eu teuluoedd na fyddai'n ddisgyblion iddo. O'u gosod ochr yn ochr â'i gilydd maent yn ddadlennol dros ben.

Meddai Iesu Grist wrth y dyrfa oedd yn cydgerdded ag ef (Luc 14:25–27), 'Os daw neb ataf fi, ac ni chasao ei dad a'i fam, a'i wraig a'i blant, a'i frodyr a'i chwiorydd, ie, a'i einioes ei hun hefyd, ni all efe fod yn ddisgybl i mi. A phwy bynnag ni ddyco ei groes, a dyfod ar fy ôl, ni all efe fod yn ddisgybl i mi.'

Meddai wrth baratoi ei ddisgyblion ar gyfer eu taith genhadol gyntaf, 'Mi a ddeuthum i osod dyn yn erbyn ei dad, a'r ferch yn erbyn ei mam . . .' (Math. 10:35). Ac meddai'n nes at ddiwedd ei weinidogaeth gan gyfeirio at effeithiau'r tân y byddai yn ei anfon ar y ddaear, 'Canys *bydd o hyn allan* bump yn yr un tŷ wedi ymrannu, tri yn erbyn dau, a dau yn erbyn tri . . . ' (Luc 12:52–53).

Yn y gosodiad cyntaf eglurir beth yw un o amodau cael bod yn ddisgybl iddo. Yn yr ail a'r trydydd gosodiad ceir mynegiant o fwriad. *Fe fyddai'r Arglwydd Iesu Grist yn mynd yn gyfrifol gyda'i Dad Nefol am ddwyn i fodolaeth bersonau y byddai amodau perthyn i Deyrnas Nefoedd yn wir amdanynt.* Ni ellid gwell diffiniad o ailenedigaeth na hynny, na gwell esboniad pam y mae ei angen ar bawb ohonom.

Fe ddaw hyn yn gliriach fyth wrth i ni ofyn ymhellach: a wnaeth Iesu Grist ddatganiadau tebyg, wrth ei ddisgyblion ac wrth y bobl yn gyffredinol, ynghylch ei weithgarwch ef ei hun yn dwyn i fodolaeth bobl a fyddai'n cydymffurfio ag amodau derbyniad i'w Deyrnas? Yr ateb yw, do fe wnaeth, a rhaid i ninnau gofio hynny fel rhan o'n hefengylu.

Gan ddal i'n cyfyngu ein hunain i'r Ysgrythurau sydd dan ystyriaeth gennym, trown yn y bennod nesaf—a hynny am y tro olaf—i'r man lle y bu i ni ddechrau, sef geiriau Iesu Grist fel y cofnodir hwy yn Efengyl Mathew 16, adnodau 27 a 28 (ynghyd â'r adnodau cyfatebol yn Marc 8:38–9:1 a Luc 9:26–27; gweler Rhestr A, t.33).

7
Yr Ymwelydd Dwyfol

Diweddwyd y bennod olaf trwy ofyn: a oes tystiolaeth ar gael yn yr Efengylau fod Iesu Grist wedi gwneud datganiadau eraill ynghylch ei weithgarwch ef ei hun yn dwyn i fodolaeth bobl fyddai'n cydymffurfio ag amodau derbyniad i'w Deyrnas? Yn ôl ein haddewid, trown at un enghraifft werthfawr iawn sydd i'w gweld yn yr adnodau yr ŷm ni'n eu hystyried, sef Mathew 16:27–28 (ac yn y rhannau cyfatebol yn Marc 8:38—9:1 a Luc 9:26–27).

- *Adnod. 27:* 'Canys Mab y dyn a ddaw yng ngogoniant ei Dad gyda'i angylion, ac yna y rhydd efe i bob un yn ôl ei weithred.'
- *Adnod 28:* 'Yn wir y dywedaf wrthych, y mae rhai o'r sawl sydd yn sefyll yma, na phrofant angau, hyd oni welont Fab y dyn yn dyfod yn ei frenhiniaeth.'

Pam, meddech chi, yr aeth Iesu Grist ymlaen i wneud yr ail broffwydoliaeth a geir yn adnod 28 ac i dynnu sylw arbennig ati yn ei ffordd nodweddiadol—'yn wir y dywedaf wrthych'? Fe allwn ddeall pam ei fod yn cyfeirio at Ddydd y Farn yn adnod 27. Ond at ba ddigwyddiad y mae adnod 28 yn cyfeirio,'hyd oni welont Fab y dyn yn dyfod yn ei frenhiniaeth'? Neu, a'i osod fel y mae Marc yn ei ddyfynnu, pan yw'n siarad â'r dyrfa gymysg, 'hyd oni welont deyrnas Dduw wedi dyfod mewn nerth' (Marc 9:1), a Luc yn debyg iddo, 'Y mae rhai o'r sawl sydd yn sefyll yma na phrofant angau, hyd oni welont deyrnas Dduw' (Luc 9:27). At ba ddigwyddiad y mae'n cyfeirio? A pham ei fod yn gwneud y cyfeiriad?

Fe fyddai rhai yn barod iawn i ni gymryd bod Iesu Grist yn cyfeirio at yr un digwyddiad â'r un a ddisgrifir ganddo yn adnod 27. A dydyn nhw ddim yn petruso rhag ein sicrhau bod Iesu Grist, a'r apostolion, yn credu bod yr Ailddyfodiad i ddigwydd yn fuan!

Gyda golwg ar y posibilrwydd hwnnw, yr ateb wrth gwrs yw fod Iesu Grist wedi egluro nad oes yr un enaid byw yn gwybod beth fydd dyddiad yr Ailddyfodiad. 'Am y dydd hwnnw a'r awr nis gŵyr neb, nac angylion y nefoedd, ond fy Nhad yn unig' (Math. 24:36). Yn ôl esboniad rhai, felly, mae'n ei wrth-ddweud ei hun ac yn cyhoeddi ei fod yn mynd i ddigwydd yn ystod oes rhai o'r sawl oedd yn gwrando arno.

Fe fyddai eraill yn ceisio ein perswadio mai at y Gweddnewidiad—a ddigwyddodd ychydig ddyddiau'n ddiweddarach—y mae Iesu Grist yn cyfeirio yn adnod 28. Ond fedrwn ni ddim derbyn yr esboniad hwnnw chwaith. Yn un peth, dydi'r termau ddim yn cyfateb—'Hyd oni welont Fab y dyn yn dyfod' meddai Iesu Grist wrth wneud yr ail broffwydoliaeth. Ond nid 'dod' o unman a wnaeth Iesu Grist ar Fynydd y Gweddnewidiad. Roedd Ef yno'n barod! Cael ei newid a wnaeth. 'A gweddnewidiwyd ef ger eu bron hwy' (Math.17:2). Yn ail, dydi rhybuddio dynion fod rhywbeth yn mynd i ddigwydd cyn eu marwolaeth ddim yn awgrymu bod y rhywbeth hwnnw i ddigwydd chwe niwrnod yn ddiweddarach!

Yr Ymwelydd â'i Deyrnas

At beth yn hollol y mae Iesu Grist yn cyfeirio? Unwaith eto, dywedwn yn ddibetrus, at yr hyn a ddigwyddodd ar Ddydd y Pentecost. Mae Mathew, fel y cofiwn, yn cofnodi'r geiriau a lefarodd Iesu Grist wrth ei ddisgyblion, tra bo Marc a Luc yn cofnodi'r geiriau a ddywedodd wrth y dyrfa gymysg. O ganlyniad, os cymerir geiriau'r tri efengylydd gyda'i gilydd, fe geir darlun perffaith o'r hyn a fyddai'n digwydd ar Ddydd y Pentecost. Yn adroddiad Mathew ceir portread o'r hyn a fyddai'n digwydd i'r disgyblion. Yn adroddiad Marc a Luc ceir disgrifiad o'r hyn a fyddai'n digwydd i'r disgyblion, ac i rai nad oeddent yn ddisgyblion.

Beth felly fyddai'r *disgyblion* yn ei weld? 'Yn wir y dywedaf wrthych, y mae rhai o'r sawl sydd yn sefyll yma, na phrofant angau, hyd oni welont Fab y dyn yn dyfod yn ei frenhiniaeth' (Math. 16:28). Onid dyna'n hollol yr hyn a ddigwyddodd iddynt ar ddydd y Pentecost?

Clywch eu hadroddiad hwy o'r hyn a ddigwyddodd: 'A'r Arglwydd a chwanegodd beunydd at yr eglwys y rhai fyddent gadwedig' (Act. 2:47). Yr Arglwydd yr oedden nhw ond newydd ei weld yn cael ei groeshoelio ac yn esgyn i'r Nefoedd! Beth sy'n digwydd? Dim llai na'u bod yn gweld eu Harglwydd yn dod yn ôl yn ei frenhiniaeth. A'u tystiolaeth gytûn oedd: 'A'r Arglwydd a chwanegodd beunydd at yr eglwys y rhai fyddent gadwedig.' Doedd 'yr holl bethau' a wnaeth ac a ddysgodd yr Iesu yn ystod ei fywyd ar y ddaear ond dechreuad, meddai Luc yng ngeiriau agoriadol Llyfr yr Actau.

Yn yr Oruwchystafell ychydig cyn ei groeshoelio roeddent wedi gwrando arno mewn syndod yn addo, 'Yr hwn sydd yn credu ynof fi, y gweithredoedd yr wyf fi yn eu gwneuthur, yntau hefyd a'u gwna' (Ioan 14:12). Roeddent wedi ei glywed cyn hynny'n eu sicrhau, 'Defaid eraill sydd gennyf, y rhai nid ŷnt o'r gorlan hon. Y rhai hynny hefyd sydd raid i mi eu cyrchu, a'm llais i a wrandawant, a bydd un praidd ac un bugail' (Ioan 10:16). Tybed faint ohonynt oedd yn cofio'i eiriau pan oedd yn eu hanfon ar eu taith genhadol gyntaf?: 'A phan y'ch erlidiant yn y dref hon, ffowch i un arall. Canys yn wir y dywedaf wrthych, na orffennwch drefi Israel, nes dyfod Mab y dyn' (Math. 10:23). Roedd hynny'n digwydd bellach o flaen eu llygaid—Mab y dyn yn dod yn ei frehiniaeth i geisio'i ddefaid.

Er mor rhyfeddol ydyw medru ei ddweud, dyna'r hyn y mae disgyblion Iesu Grist wedi ei weld yn digwydd ar hyd y canrifoedd—yn enwedig yn y cyfnodau hynny pan fo llaweroedd yn dod i gredu—teyrnas Iesu Grist yn dod ac Iesu Grist yn dod gyda'i Deyrnas, ymweliadau Dwyfol. 'Ymgedwch,' meddai Pedr wrth rai o'r genhedlaeth oedd yn mynd i'w ddilyn ef a'r apostolion eraill, 'oddi wrth chwantau cnawdol . . . gan fod â'ch ymarweddiad yn anrhydeddus ymysg y Cenhedloedd, fel . . . y gallont, oherwydd eich gweithredoedd da a welant, ogoneddu Duw *yn nydd yr ymweliad'* (1 Pedr 2:11–12).

Gweld Teyrnas Dduw

Beth oedd 'rhai o'r rhai' yr oedd Iesu Grist yn eu cyfarch pan oedd yn siarad â'r dyrfa gymysg yn mynd i'w weld? 'Y mae rhai o'r sawl sydd yn sefyll yma na phrofant angau, hyd oni welont deyrnas Dduw' (Luc 9:27). 'Hyd oni welont deyrnas Dduw wedi dyfod mewn nerth' (Marc 9:1). Ond does 'na ddim sy'n arbennig yn y broffwydoliaeth yna, meddech. Oes, yn wir, y mae! Ydych chi'n cofio'r hyn ddywedodd Iesu Grist wrth Nicodemus, 'Oddieithr geni dyn drachefn, ni ddichon efe weled teyrnas Dduw' (Ioan 3:3)? A meddai'n awr, y mae 'rhai o'r rhai' oedd yn sefyll ac yn gwrando arno yn mynd i weld teyrnas Dduw! 'Na phrofant angau, hyd oni welont deyrnas Dduw.' (Yr un yw'r ferf—'a welont'—a'r un yw'r ymadrodd.) Yr hyn fyddai'r mwyafrif yn ei weld fyddai twr o ddisgyblion yn ymddwyn fel pe baent wedi meddwi'n gaib—'Llawn o win melys ydynt'. Yr hyn fyddai 'rhai' yn ei weld fyddai Teyrnas Nefoedd—yr hyn na fedrai neb ei gweld oddi eithr iddynt gael eu haileni.

Mae hyn yn hynod o arwyddocaol a phwysig. *Ffordd Iesu Grist ydoedd o'u hysbysu bod rhai o'u plith yn mynd i gael eu haileni o'r Ysbryd Glân ac o ddwfr.* Roedd Iesu Grist wedi egluro beth oedd amodau derbyniad i'w Deyrnas. Roedd wedi egluro'n barod fod yn rhaid i rywbeth mawr ddigwydd i ddynion cyn y buasent yn plygu i'r amodau hynny. Yn awr mae'n hysbysu'r dyrfa y buasai'r peth mawr hwnnw'n digwydd yn hanes 'rhai o'r rhai' oedd yn gwrando arno—ac yn digwydd o ganlyniad i'w ddychweliad 'yn ei deyrnas' a'i ymyriad personol ym mywyd 'rhai'. Fe fyddai personau'r Drindod—oherwydd lle mae un y mae'r tri—yn creu pobl y buasai amodau derbyniad i'w Deyrnas (ymwadu â hunan, codi'r groes, colli einioes, casáu eu heinioes eu hunain, caru Iesu Grist yn fwy na'u ceraint agosaf) yn wir amdanynt.

Does dim angen i neb ryfeddu at y broffwydoliaeth. Yn y lle cyntaf, dydi Iesu Grist ond yn ailadrodd yr hyn a ddywedodd yn gynharach yng Nghesarea Philipi, ei fod yn mynd i adeiladu'i Eglwys, 'fy eglwys'. Ei sail fyddai yr un profiad, yr un argyhoeddiad a'r un cadarnhad ag a roddwyd i Simon Pedr. 'Ar y graig hon yr adeiladaf fy eglwys.' Duw ei hun fuasai'n gyfrifol am yr argyhoeddiad: 'Nid cig a gwaed a ddatguddiodd hyn i ti, ond fy Nhad yr hwn sydd yn y nefoedd.' A'r Arglwydd Iesu Grist fyddai'n gyfrifol am yr ategiad a'r cadarnhad: 'Gwyn dy fyd di, Simon mab Jona'. Ar ddydd y Pentecost fe fyddai'r Adeiladydd ei hun yn ymweld â'i bobl ac yn chwyddo'u nifer. Fe fyddai'r un pryd yn cyflwyno agoriadau ei deyrnas i Pedr.

Yr ail reswm paham na ddylem ryfeddu at ei eiriau yw hwn. Nid yw Iesu Grist ond yn ei uniaethu ei hun â'r hyn a addawodd Duw fyddai'n digwydd, drwy enau rhai o broffwydi mwya'r Hen Destament. Dyfynnwn o ddwy o'r proffwydoliaethau hynny:

Y Cyfamod Newydd

'Ond dyma y cyfamod a wnaf fi â thŷ Israel ar ôl y dyddiau hynny, medd yr Arglwydd; Myfi a roddaf fy nghyfraith o'u mewn hwynt, ac a'i hysgrifennaf hi yn eu calonnau hwynt; a mi a fyddaf iddynt hwy yn Dduw, a hwythau a fyddant yn bobl i mi. Ac ni ddysgant mwyach bob un ei gymydog, a phob un ei frawd, gan ddywedyd, Adnabyddwch yr Arglwydd: oherwydd hwynt–hwy oll o'r lleiaf ohonynt hyd y mwyaf ohonynt a'm hadnabyddant, medd yr Arglwydd; oblegid mi a faddeuaf eu hanwiredd, a'u pechod ni chofiaf mwyach' (Jeremeia 31:33–34).

'Mi a welwn mewn gweledigaethau nos, ac wele, megis Mab y dyn oedd yn dyfod gyda chymylau y nefoedd; ac at yr Hen ddihenydd y daeth, a hwy a'i dygasant ger ei fron ef. Ac efe a roddes iddo lywodraeth, a gogoniant, a brenhiniaeth, fel y byddai i'r holl bobloedd, cenhedloedd, a ieithoedd ei wasanaethu ef: ei lywodraeth sydd lywodraeth dragwyddol, yr hon nid â ymaith, a'i frenhiniaeth ni ddifethir' (Daniel 7:13–14).

Mae yna drydydd rheswm pam na ddylai neb ryfeddu at y ffaith fod Iesu Grist yn dysgu bod yr Hwn a'n creodd yn y lle cyntaf yn mynd i aileni dynion fel y gallont weld Teyrnas Nefoedd a mynd i mewn iddi. Os yw'r Mab yn dysgu bod yn rhaid i'r cyfryw ymwadu â'r hunan a chodi'r groes, yr hyn y dylech chi a finnau ei ddisgwyl fyddai gweld y Brenin Mawr yn troi yr amodau hynny yn realiti byw ym mywydau pechaduriaid anhaeddiannol a drwg. Nid eu diwygio na'u trwsio ddywedodd Iesu Grist fyddai'n angenrheidiol; nid rhoi sglein bach o barchusrwydd wnâi'r tro chwaith; dim byd llai na'u haileni yn greaduriaid newydd sbon!

Rwy'n siŵr fod y peth wedi croesi meddwl aml i dad a mam. Pan aned y plant ar ein haelwyd ni, roeddwn i'n meddwl eu bod nhw fel angylion bach, bob un ohonyn nhw. Roeddent i gyd yn edrych mor hynod o ddiniwed. Ond fel yr âi'r blynyddoedd heibio—y misoedd yn wir—wn i ddim pa sawl gwaith y ces i fy nhemtio i feddwl—yn hanes bob un ohonyn nhw cofiwch—gresyn na allwn i eu haileni, i weld a fyddai'r canlyniadau'n well! Ond, roeddwn i'n ddigon call i wybod, petasai'r gallu gen i, fuasai'r canlyniadau ronyn gwell.

Adroddir hanesyn annwyl iawn am bregethwr enwog gyda'r Methodistiaid Calfinaidd yn Abertawe tua dechrau'r ganrif, y Parch. W.E. Prydderch. Roedd wedi priodi am yr ail waith. A phan gafodd y ddau blentyn prynwyd pram fawr hardd. Un diwrnod roedd Mrs Prydderch yn mynd am dro hefo'r pram. Ac er mawr syndod iddi roedd pawb yn syllu arni hi, ac yn cilwenu wrth fynd heibio. Dyma frysio adref a rhannu'i phenbleth hefo'i gŵr. 'Dos di am dro,' medde hi, 'i weld beth ddigwyddith.' Ac fe ddigwyddodd yr un peth yn hollol iddo yntau. Wedi dod adref cafwyd esboniad. Roedden nhw wedi anghofio tynnu'r label oddi ar y pram ac arni'r chwedl—'our own make'. Pe buasai'r gallu gennym i aileni ein hepil, 'our own make' fuasai hi yn ein tŷ ninnau hefyd.

Ond mae'r dewis hwnnw gyda Duw, ynghyd â'r gallu. Y cwestiwn cyfrifol sydd i'w ofyn, felly, yw hwn. Pan fo Duw, yn ôl ei Air a'i addewid, yn ymgymryd â'r gwaith, beth fyddech chi'n disgwyl i'r canlyniadau fod? Dim llai na bod y Brenin Mawr yn peri bod yr hunan gwrthryfelgar yn marw a dyn newydd sbon fyddai'n dymuno o galon wasanaethu Iesu Grist yn cymryd ei le; yr 'hen ddyn' hunanechelog yn cael ei groeshoelio a'i atgyfodi'n ddyn newydd awyddus i wasanaethu Iesu Grist. Yna'n goron ar y cyfan, y cyfryw yn cael eu 'rhoi' i Iesu Grist i dderbyn sicrwydd maddeuant ac i gychwyn ar yr adnabyddiaeth a'r berthynas odidocaf y gall neb fyth ei phrofi. Dyna'r union beth sy'n digwydd pan fo dyn yn cael ei aileni.

8
O farw'n fyw

Gwelsom mai'r hyn sy'n digwydd pan fo dyn yn cael ei aileni yw bod personau'r Drindod gyda'i gilydd—fel y cawn weld yn gliriach yn nes ymlaen—yn gwneud yn realiti byw ym mywyd y cyfryw yr hyn a ddywedodd Iesu Grist y byddai'n rhaid iddo ddigwydd cyn y gallai neb fynd i mewn i'w Deyrnas. Wrth bortreadu fel hyn yr hyn fyddai'n ofynnol, gallwn yn hawdd ddychmygu clywed yr apostol Paul—ac nid yr apostol yn unig ond pobl Dduw drwy'r canrifoedd—yn galw allan, 'dyna'r union beth a ddigwyddodd i ni!'

Dyna pam y buasai'n fuddiol oedi am ychydig yn y fan yma a darllen darn o lythyr a ddanfonodd yr apostol at gwmni o gredinwyr yn Rhufain bron ddwy fil o flynyddoedd yn ôl. Cyfeiriwn at ei Epistol at y Rhufeiniaid, pennod 6, adnodau 3–14a (gweler Rhestr CH, t.107).

Cyn gwneud hynny, fodd bynnag, rhaid wrth air o rybudd i ddechrau. Fe aeth gŵr unwaith at Seth Joshua (a ddefnyddiwyd mor rhyfeddol gan Dduw ar drothwy'r ugeinfed ganrif i ddwyn eneidiau lawer i'w Deyrnas yn nhrefi De Cymru) a chwyno wrtho na fedrai wneud pen na chynffon o Epistolau Paul. Gallai drafod yr Efengylau'n weddol ond gwae fo droi i'r Epistolau. Cafodd ateb swta iawn i'w gŵyn. 'Pwy roes hawl i chi ddarllen gohebiaeth pobl eraill?' gofynnodd Seth Joshua iddo, gan ei atgoffa—os nad oedd yn sylweddoli hynny'n barod—fod yr Epistolau wedi eu hysgrifennu at gredinwyr.

Mae'n deg i ninnau gofio hynny. Braint mewn gwirionedd yw cael darllen gohebiaeth un a ordeiniwyd gan Dduw i fod â gofal o'i bobl mewn sefyllfaoedd amrywiol yn Asia Leiaf a gwledydd glannau gogleddol a dwyreiniol y Môr Canoldir yn y

RHESTR CH

RHUFEINIAID 6:3–14a

'Oni wyddoch chwi, am gynifer ohonom ag a fedyddiwyd i Grist Iesu, ein bedyddio ni i'w farwolaeth ef? Claddwyd ni gan hynny gydag ef trwy fedydd i farwolaeth, fel megis ag y cyfodwyd Crist o feirw trwy ogoniant y Tad, felly y rhodiom ninnau hefyd mewn newydd-deb buchedd.

Canys os gwnaed ni yn gyd-blanhigion i gyffelybiaeth ei farwolaeth ef, yn sicr felly y byddwn i gyffelybiaeth ei atgyfodiad ef; gan wybod hyn, ddarfod croeshoelio ein hen ddyn ni gydag ef, er mwyn diddymu corff pechod, fel mwyach na wasanaethom bechod. Canys y mae'r hwn a fu farw wedi ei ryddhau oddi wrth bechod.

Ac os buom farw gyda Christ, yr ydym ni yn credu y byddwn byw hefyd gydag ef, gan wybod nad yw Crist, yr hwn a gyfodwyd oddi wrth y meirw, yn marw mwyach. Nid arglwyddiaetha marwolaeth arno mwyach. Canys fel y bu efe farw, efe a fu farw un waith am byth i bechod; ac fel y mae yn byw, byw y mae i Dduw. Felly chwithau hefyd, cyfrifwch eich hunain yn farw i bechod, eithr yn fyw i Dduw yng Nghrist Iesu ein Harglwydd.

Na theyrnased pechod gan hynny yn eich corff marwol, i ufuddhau ohonoch iddo yn ei chwantau. Ac na roddwch eich aelodau yn arfau anghyfiawnder i bechod; eithr rhoddwch eich hunain i Dduw, megis rhai o feirw yn fyw, a'ch aelodau yn arfau cyfiawnder i Dduw. Canys nid arglwyddiaetha pechod arnoch chwi, oblegid nid ydych chwi dan ddeddf, eithr dan ras.'

cyfnod hwnnw—ac a wnaeth hynny gydag ymroddiad anhygoel, gan amlaf yn nannedd erledigaeth a threialon di-ben-draw. Does dim amheuaeth nad oedd ei ddarllenwyr yn deall yr hyn oedd ganddo yn ei lythyr, wrth iddo'u hatgoffa o'r hyn a ddigwyddodd yn eu hanes, a phaham y digwyddodd. Does dim amheuaeth chwaith nad oedd yr hanes yn werth ei ddweud, a'i ddweud yn iawn.

Ar gefndir yr hyn a welsom yn barod yn y penodau blaenorol, gobeithio y bydd i'r sawl fydd yn darllen *nad ydyw eto wedi dod i gredu yn Iesu Grist a'i ddilyn* fedru o leiaf ddilyn y rhediad.

Gobeithio hefyd y gwêl pawb fydd yn darllen ei bod yn dystiolaeth oleuedig iawn i'r gwirionedd mai'r hyn y mae Duw—o'i fawr ras—yn ei wneud yw creu dynion newydd sy'n fwy na pharod i barchu amodau derbyniad i'w deyrnas. Yn null traddodiad a fu'n fyw iawn yng nghapeli Cymru unwaith, ychwanegwn air o esboniad wrth symud o gymal i gymal.

Darn o lythyr

'Oni wyddoch chwi, am gynifer ohonom ag a fedyddiwyd i Grist Iesu' (nid sylwch 'a fedyddiwyd' ond 'a fedyddiwyd i Grist Iesu' neu 'i mewn i Grist Iesu', gan gyfeirio at y berthynas fywydol sydd yn dod i fodolaeth yn yr ailenedigaeth rhwng y pechadur a Iesu Grist) *'ein bedyddio ni i'w farwolaeth ef?'*

Mae'r hyn a ddigwyddodd yn ei farwolaeth Ef wedi digwydd i ninnau! Beth ddigwyddodd yn ei farwolaeth, felly? Yn ei farw ef, fe fu farw ein hen ddyn ni. Sut hynny meddech? Yng ngolwg ac ym mwriad Duw roedd Iesu Grist yn marw yn ein lle ni. I Dduw, felly, roedd ei farw'n golygu ein bod ni wedi marw. Bellach mae'r personau oeddem ni gynt wedi peidio â bod, wedi marw yng ngolwg Duw.

'Beth sy'n dilyn wedyn?', meddech. Beth sy'n arfer digwydd ar ôl marwolaeth? gofynnwn ninnau. Y gladdedigaeth. A dyna'n hollol yr hyn sydd wedi digwydd i ni, meddai'r apostol. *'Claddwyd ni gan hynny gydag ef trwy fedydd i farwolaeth.'* Unwaith eto, sylwer, 'claddwyd ni gan hynny trwy fedydd i farwolaeth', nid 'trwy fedydd'. Nid am gael ein bedyddio y mae'r apostol yn sôn ond am ailenedigaeth. Dydi bedydd fel sacrament ddim yn sicrhau 'bedydd i farwolaeth'. (Dylai arwyddo hynny ond dydi o ddim yn ei sicrhau.) Mae ailenedigaeth yn ei sicrhau.

Yn fwy na hynny mae ailenedigaeth yn sicrhau atgyfodiad hefyd i fywyd newydd. *'Fel megis ag y cyfodwyd Crist o feirw trwy ogoniant y Tad, felly y rhodiom ninnau hefyd mewn newydd-deb buchedd.'* A'r Tad, yr hwn a drefnodd y cyfan, yw'r Gweithredwr yn y gladdedigaeth a'r atgyfodiad, fel yr oedd ym marwolaeth ac yn atgyfodiad ei Fab—'trwy ogoniant y Tad'.

Mae esboniad llawnach yn dilyn. *'Canys os gwnaed ni yn gyd-blanhigion i gyffelybiaeth ei farwolaeth ef'* (cyffelybiaeth mewn profiad i'r hyn a ddigwyddodd yn ddirprwyol drostynt yn ei farw iawnol ar eu rhan), *'yn sicr felly y byddwn i gyffelybiaeth ei atgyfodiad ef; gan wybod hyn'* (does dim lle i unrhyw amheuaeth—'gan wybod hyn') *'ddarfod croeshoelio ein hen ddyn ni gydag ef, er mwyn diddymu corff pechod, fel mwyach na wasanaethom bechod. Canys y mae'r hwn a fu farw'* (ar y groes ym mherson y Mab: o ran profiad trwy'r ail-enedigaeth) *'wedi ei ryddhau oddi wrth bechod.'* (Cyn hyn roeddem dan arglwyddiaeth pechod. Dim mwyach.)

'Ac os buom farw gyda Christ' (sylwer eto ar yr undeb ysbrydol sydd rhwng y cyfryw ac Iesu Grist—'gyda Christ') *'yr ydym ni yn credu y byddwn byw hefyd gydag ef, gan wybod nad yw Crist, yr hwn a gyfodwyd oddi wrth y meirw, yn marw mwyach. Nid arglwyddiaetha marwolaeth arno mwyach. Canys fel y bu efe farw, efe a fu farw un waith am byth i bechod; ac fel y mae yn byw, byw y mae i Dduw. Felly chwithau hefyd, cyfrifwch eich hunain yn farw i bechod'* (os bu i'r person oeddech chi gynt farw, pan gawsoch eich aileni a'ch bedyddio i mewn i Grist Iesu, ein cred a'n hargyhoeddiad yw y cewch fyw mewn undeb ag ef ac i'r un diben ag ef—gan na fydd efe farw eto a chan mai ei fwriad ef yw byw i Dduw. Credwch hyn amdanoch eich hunain. Cyfrifwch eich hunain yn farw i bechod oedd cyn hyn yn arglwyddiaethu arnoch) *'eithr yn fyw i Dduw yng Nghrist Iesu ein Harglwydd.'* (Am rai wedi eu 'bedyddio i mewn i Grist Iesu' y mae'n sôn o'r dechreuad yn adnod 3—amdanynt hwy ac am neb arall.)

'Na theyrnased pechod gan hynny yn eich corff marwol' (mae pechod yn dal i fodoli yn ein cyrff marwol ni: ond dydi o ddim i gael teyrnasu bellach) *'i ufuddhau ohonoch iddo yn ei chwantau. Ac na roddwch eich aelodau yn arfau anghyfiawnder i bechod; eithr'* (yn wyneb yr hyn sydd wedi digwydd i chwi, a chwithau yn ddynion newydd, wedi eich atgyfodi gydag Ef i rodio mewn newydd-deb buchedd) *'rhoddwch eich hunain i Dduw, megis rhai o feirw yn fyw, a'ch aelodau yn arfau cyfiawnder i Dduw. Canys nid arglwyddiaetha pechod arnoch chwi.'*

Beth sy'n digwydd, meddech, pan fo dyn yn cael ei aileni? Dyna sy'n digwydd, medd yr Ysgrythur: Duw o'i ras sy'n troi yn ffaith, ym mywydau pechaduriaid anhaeddiannol, yr amodau a gyhoeddodd Iesu Grist oedd yn gwbl angenrheidiol cyn y gallai neb ei ddilyn. Yr hyn a'i gwnaeth yn bosibl oedd marwolaeth ddirprwyol Iesu Grist drostynt ar y Groes. Y canlyniad? 'Os oes neb yng Nghrist, y mae efe yn greadigaeth newydd; yr hen bethau a aethant heibio, wele, gwnaethpwyd pob peth yn newydd. A phob peth sydd o Dduw, yr hwn a'n cymododd ni ag ef ei hun trwy Iesu Grist, ac a roddodd i ni weinidogaeth y cymod' (2 Cor. 5:17–18).

Tynnu casgliadau

I ni, sy'n dymuno cael goleuni ar gwestiwn efengylu ac ar gynnwys y neges yr ydym i'w chyhoeddi, buddiol fydd i ni bellach geisio crynhoi'r hyn a welsom hyd yma:

Roedd Iesu Grist: (1) yn galw ar ddynion yn gyffredinol i ddod i'w ddilyn: mae'r gwahoddiad yn agored i bawb; (2) yn ei gwneud yn berffaith glir beth fyddai'r gost a beth fyddai canlyniadau gogoneddus gwneud hynny; (3) yn eu hysbysu y byddai'n eu dal yn gyfrifol am wneud hynny, yn wyneb y ffaith ei fod yr hwn ydoedd—'o'm plegid i a'r efengyl'; (4) yn eu hysbysu, heb flewyn ar ei dafod, y gwyddai eu bod yn ei wrthod a pham—nid oherwydd eu deall ond oherwydd eu hewyllys, nid oherwydd eu pennau ond oherwydd cyflwr eu calonnau—ac y byddai raid (5) iddynt gael eu haileni cyn y gallent obeithio gweld Teyrnas Nefoedd, heb sôn am fynd i mewn iddi.

Ochr yn ochr â'r gwirioneddau yna i gyd—heb roi'r un ohonynt o'r neilltu—roedd Iesu Grist hefyd, yn gwbl agored, (6) yn dweud wrth y bobl fod Duw yn ymgymryd ag achub rhai—nid pawb—i fywyd tragwyddol. Dyna arwyddocâd y neges fawr fod Teyrnas Nefoedd yn agos—roedd yr hyn a addawodd Duw trwy'r proffwydi, y buasai'n ysgrifennu ei ddeddf ar galonnau dynion, bellach i'w gyflawni!

Dyna arwyddocâd hefyd y cyfeiriadau lluosog a wnaeth Iesu Grist at 'y rhai a roddes y Tad iddo' trwy addewid yn nhragwyddoldeb—yr un rhai â'r rhai 'a roes' y Tad iddo yn ystod ei yrfa yma ar y ddaear ynghyd â'r rhai a ddeuai i gredu ynddo'n ddiweddarach 'trwy eu hymadrodd hwynt'. (Cyfeiriwn at yr enghreifftiau a geir yn y bumed, y ddegfed, a'r ail bennod ar bymtheg o Efengyl Ioan.) Fe'i gwelwch yn dysgu'r un gwirionedd yn amryw o'r damhegion, rhai ohonynt a lefarwyd wrth y dyrfa'n gyffredinol ac nid wrth y disgyblion ar wahân, er enghraifft, dameg y wisg briodas. Fe'i gwelwch yn arbennig yn y gosodiad cwbl ddiamwys, 'Llawer sydd wedi eu galw, ond ychydig wedi eu dewis' (Math. 22:14).

At hynny'n ddiamheuol y mae Iesu Grist yn cyfeirio yn Marc 9:1 a Luc 9:27, 'Y mae rhai o'r sawl sydd yn sefyll yma na phrofant angau, hyd oni welont deyrnas Dduw.' Fe fyddai 'rhai', nid 'pawb', yn cael eu haileni. Neu, a'i roi yng ngeiriau Luc unwaith eto, cofnodydd yr hanes y tro hwn, 'A'r Arglwydd a chwanegodd beunydd at yr eglwys y rhai fyddent gadwedig' (Actau 2:47).

Dilyn ei esiampl

Dyna'r patrwm, felly, a ddilynodd Iesu Grist. Meddai wrth y dyrfa oedd yn ei ddilyn, wedi iddo borthi'r pum mil, gan danlinellu eu cyfrifoldeb i ymateb i'w weinidogaeth a'i Berson, 'Llafuriwch nid am y bwyd a dderfydd, eithr am y bwyd a bery i fywyd tragwyddol, yr hwn a ddyry Mab y dyn i chwi; canys hwn a seliodd Duw Dad.' Roedd y cyfrifoldeb am wneud hynny (neu beidio) ar eu hysgwyddau hwy. Yr un pryd, meddai wrth yr un bobl, 'Ni ddichon neb ddyfod ataf fi, oddieithr i'r Tad . . . ei dynnu ef' (Ioan 6:27 a 44).

Rhaid i ninnau ddilyn ei esiampl. Ein braint, ar y naill law, yw cael dweud wrth ddynion, yn ei enw: (1) fod yn rhaid iddyn nhw ymwadu â'r hunan, wynebu marwolaeth yr hunan, colli eu bywyd, casáu eu heinioes a'u ceraint agosaf yn hytrach na gwadu Iesu Grist, os ydynt am etifeddu bywyd tragwyddol;

(2) pam y dylent ar bob cyfrif wneud hynny—'o'i blegid ef a'r efengyl' ac oblegid y breintiau a'r bendithion a fyddai'n dilyn; (3) oherwydd eu natur lygredig, a'r elyniaeth gynhenid sydd ynddyn nhw yn erbyn Duw, na wnân nhw ddim gwrando: o'r herwydd bod yn rhaid iddynt gael eu haileni.

Ar y llaw arall, ein cyfrifoldeb hefyd yw dweud wrth ddynion fod y Brenin Mawr heddiw fel erioed yn achub 'rhai' i fywyd tragwyddol. Wrth wneud hynny mae'n eithriadol o bwysig ein bod yn sylweddoli nad ydyw cyhoeddi hynny yn tynnu dim oddi wrth gyfrifoldeb dynion i ymateb i wahoddiad Iesu Grist i ymwadu â'r hunan, codi'r groes a'u rhoi eu hunain i'w ddilyn. Ei gwneud hi'n fwy o gyfrifoldeb arnynt wrando ar ei eiriau y mae, ac i bledio ar Dduw i'w gwneud yn ddynion newydd. A wrandawant ai peidio sydd gwestiwn arall. Ein cyfrifoldeb ni yw dweud y gwir, fel y gwnaeth Iesu Grist—a'u gwneud yn ddiesgus.

Ond meddai rhywun, peth annoeth wrth efengylu yw sôn am Dduw yn achub 'rhai' ac nid pawb. At y cwestiwn pwysig hwnnw y byddwn yn troi yn y bennod nesaf.

9
'Y rhai a roddaist'

Ar ddiwedd y bennod ddiwethaf ceisiwyd crynhoi'r neges yr oedd yr Arglwydd Iesu Grist yn ei chyhoeddi i bechaduriaid—o'u cyferbynnu â'r sawl a fuasai eisoes yn ddisgyblion iddo. Cymal ola'r crynodeb oedd nodi'r ffaith fod Iesu Grist yn dysgu bod Duw wedi ymgymryd ag achub rhai—nid pawb—i fywyd tragwyddol. Nodwyd yr un pryd mai at hynny yr oedd Iesu Grist yn cyfeirio yn yr adnod fu dan ystyriaeth gennym yn y ddwy bennod flaenorol, 'Eithr dywedaf i chwi yn wir, y mae rhai o'r sawl sydd yn sefyll yma na phrofant angau, hyd oni welont deyrnas Dduw' (Luc 9:27). Diweddwyd trwy gydnabod y byddai rhywrai'n siŵr o ofyn, 'Ai doeth yw dweud wrth efengylu fod Duw wedi ethol rhai—ac nid pawb—i fywyd tragwyddol?'

Y cyfan fedr neb ei ddweud mewn ymateb i'r cwestiwn hwn yw, fod Iesu Grist wedi gwneud hynny, ac o'r herwydd y dylem ninnau fod yn barod i wneud hynny, *dim ond i ni ofalu bob amser ei wneud mewn ysbryd a fydd mor debyg ag sydd bosibl i'r ysbryd yr oedd Iesu Grist yn gwneud hynny ynddo.* Mae hyn yn arbennig o wir am un nodwedd ar ei ymddygiad pan fyddai'n cyfeirio at y gwirionedd hwn. *Wnaeth Iesu Grist ddim unwaith roi lle i bechaduriaid o'r herwydd i gredu ei fod yn tynnu'n ôl ei wahoddiad iddynt ddod i'w ddilyn.* Roedd y gwahoddiad hwnnw'n sefyll ac fe'u cyfrifid yn gyfrifol am eu hymateb iddo.

Y ddau gwestiwn, felly, y talai i ni geisio goleuni pellach arnynt yw'r rhain. Yn gyntaf, pam roedd Iesu Grist yn gwneud hynny? Gwyddom na fu iddo erioed droseddu yn erbyn ewyllys ei Dad. Fe fyddai hynny yr un mor wir am ei bregethu a'i ddysgeidiaeth ag ydoedd am ei holl weithredoedd. 'Y geiriau yr wyf fi yn eu llefaru wrthych, nid ohonof fy hun yr wyf yn eu llefaru;

ond y Tad yr hwn sydd yn aros ynof, efe sydd yn gwneuthur y gweithredoedd' (Ioan 14:10). Pam ynteu, ac yntau'n ddi-fai, ei fod yn gwneud hynny? A'r ail gwestiwn yw hwn, Ym mha ysbryd ac ym mha ffordd y gwnaeth hynny? Gwyddom, unwaith eto, nad oedd byth yn gweithredu mewn ysbryd maleisus, dihidio o deimladau pobl eraill, fel y gallai rhai—7o gofio'r pwnc—amau ei fod yn yr achos hwn. Ym mha ysbryd ynteu y gwnaeth hynny?

I raddau helaeth iawn mae'r ateb i'r cwestiwn cyntaf yn perthyn i'r hyn y byddai ein tadau'n ei alw'n fyd 'dirgeledigaethau Duw' (Deut. 29:29). Felly, wrth geisio'i ateb fe weddai i ni fod yn ochelgar a gofalus dros ben. Awgrymwn rai ystyriaethau'n unig.

Pam felly?

1. Am ei fod yn wir. Nid celwydd oedd yr hyn a ddywedodd Iesu Grist wrth y disgyblion yng Nghesarea Philipi, ei fod yn mynd i adeiladu Eglwys fyddai'n cynnwys rhai fel Simon Pedr, y byddai neb llai na'r Duw mawr ei hun wedi agor eu llygaid a pheri iddynt adnabod ei Fab. 'Nid cig a gwaed a ddatguddiodd hyn i ti, ond fy Nhad yr hwn sydd yn y nefoedd.'

Waeth i ni heb â phrotestio chwaith a gofyn pa hawl oedd gan Dduw i wneud y fath beth yn achos 'rhai' yn unig. Mae'r gwahoddiad i edifarhau a chredu yn ei Fab yn agored i'r byd. Pa hawl sydd gennym ni, felly, i warafun, neu hyd yn oed (pe gallem) wahardd i Dduw wneud a fynno â'i greadigaeth ei hun? Onid yw'n berffaith gyfreithlon i Dduw, os yw'n dymuno gwneud hynny, drugarhau 'wrth yr hwn y trugarhawyf' a thosturio 'wrth yr hwn y tosturiwyf' (Rhuf. 9:15)? Gan mai llestri digofaint yw pob un ohonom filwaith drosodd a rhagor, 'Onid oes awdurdod i'r crochenydd ar y clai, i wneuthur o'r un telpyn un llestr i barch, ac arall i amarch? Beth os Duw, yn ewyllysio dangos ei ddigofaint a pheri adnabod ei allu, a oddefodd trwy hirymaros lestri digofaint, wedi eu cymhwyso i golledigaeth, ac i beri gwybod golud ei ogoniant ar lestri trugaredd, y rhai a rag-baratôdd efe i ogoniant, sef nyni, y rhai a alwodd efe, nid o'r Iddewon yn unig, eithr hefyd o'r Cenhedloedd?' (Rhuf. 9:21–24).

I'r sawl fuasai'n gyfarwydd â phroffwydoliaethau'r Hen Destament, roedd y datganiad a wnaeth Iesu Grist ar ddechrau ei weinidogaeth fod teyrnas nefoedd yn agos yn golygu bod Duw ar fin cyflawni ei addewid y byddai yn creu pobl y byddai ei ddeddf yn ysgrifenedig ar eu calonnau. Dyfynnwn y ddwy adnod sy'n dilyn yn y nawfed bennod o Epistol Paul at y Rhufeiniaid, 'Megis hefyd y mae efe yn dywedyd yn Hosea: "Mi a alwaf yr hwn nid yw bobl i mi, yn bobl i mi; a'r hon nid yw annwyl, yn annwyl." A bydd yn y fangre lle y dywedwyd wrthynt, "Nid fy mhobl i ydych chwi," yno y gelwir hwy yn feibion i'r Duw byw.'

Nid penderfyniad sydyn oedd hwn; nid ffrwyth adwaith mohono chwaith i rywbeth a oedd yn digwydd ar y pryd yn hanes ymwneud Duw â'i genedl. Cytunwyd ar y cyfan ymlaen llaw, yn nhragwyddoldeb. Rhown gyfrif bras ohono yma; cawn edrych ar ei elfennau tyneraf wrth fynd yn ein blaenau. Yr hyn a ddigwyddodd, yng ngeiriau cyfarwydd Pedr Fardd, 'cyn llunio'r byd, cyn lledu'r nefoedd wen', oedd bod y Tad, wrth ragweld y buasai'r ddynoliaeth yn gyfan yn gwrthryfela yn erbyn ei awdurdod, wedi gwneud cyfamod â'i Fab, y buasai yn rhoi teyrnas iddo o bobl a oedd i'w casglu ganddo, dros y canrifoedd ac oddi ar y pum cyfandir, ar y ddealltwriaeth y buasai ei Fab yn fodlon bod yn Waredwr iddynt a chyflawni popeth a fyddai'n angenrheidiol i'w cyfiawnhau gerbron Duw a'u sancteiddio ar gyfer ei bresenoldeb sanctaidd. Doedd dim rhwymedigaeth ar Dduw i wneud hynny: cariad at ei Fab ac at ddynolryw a'i symbylodd.

Roedd y cyfamod grasol hwn mor sicr fel bod enwau'r etholedig, bob yn un ac un, wedi eu hysgrifennu yn 'llyfr bywyd yr Oen' (Dat. 13:8; Luc 10:20) a bod Iesu Grist, pan oedd yma ar y ddaear, yn medru cyfeirio atynt fel 'y rhai a roddaist i mi' (Ioan 17:2). Yr un 'rhai' oeddent â'r 'rhai' y byddai'r Tad yn eu 'rhoi' iddo pan oedd yma ar y ddaear, yn ogystal â phan fyddai wedi dychwelyd i'r nefoedd at ei Dad (Ioan 17:6, 9, 11, 12, 20, 24).

Ond pam y dewisodd Iesu Grist *ddweud* wrth rai nad oeddent yn credu ynddo fod Duw wedi dewis rhai i fywyd tragwyddol? Gallai'n hawdd galedu eu calonnau yn erbyn Duw am fod mor annheg â'r gweddill trwy ddangos y fath ffafriaeth tuag at rai na fyddai ddim teilyngach na hwythau. Fe allai ddigalonni eraill. Pa ddiben ymdrechu i edifarhau a chredu oni bai eu bod yn gwybod ymlaen llaw eu bod ymhlith yr etholedig? Trown at yr ail reswm.

Ein gwyleiddio

2. Er mwyn gwyleiddio pechaduriaid a pheri iddynt gydnabod eu pechadurusrwydd a chyndynrwydd eu calonnau. *Fyddai dim rhaid i'r Brenin Mawr fod wedi ymgymryd â'r gwaith o roi pechaduriaid annuwiol ac anniolchgar i'w Fab, pe bai dynion yn barod i edifarhau ac i ddod ato o'u gwirfodd.* Does dim un athrawiaeth yn y Beibl sy'n adlewyrchu'n fwy faint pechadurusrwydd dyn.

Dywedir am John Calfin y byddai'n arfer mynd i bregethu ar strydoedd Genefa, ac yn aml yn cael fawr neb yn barod i wrando arno. Ar adegau felly, wedi cyrraedd gartref, fe fyddai'n mynd ar ei union i'w stydi ac ar ei liniau i ddiolch i Dduw y byddai'r rhai yr oedd Efe wedi eu hethol i fywyd tragwyddol o leiaf yn gadwedig. I'r sawl a gafodd y syniad lleiaf am ddyfnder gelyniaeth dyn yn erbyn 'y Duw sy'n hawlio'r cyfan'—ac nid rhyw 'Dduw gwneud' o'u heiddo hwy eu hunain—dyna'u cysur pennaf a'u hachos pennaf dros glodfori ei enw i dragwyddoldeb. Os yw iachawdwriaeth 'yn amhosibl gyda dynion', mae hi yn 'bosibl gyda Duw' meddai Iesu Grist wrth ei ddisgyblion, wedi i'r gŵr ifanc goludog droi oddi wrtho'n athrist. Yn wyneb y fath gadarnhad, gall disgyblion Iesu Grist ddal ati i weddïo'n ffyddiog, 'Deled dy deyrnas.' Sobri a difrifoli'n fawr ddylai'r effaith fod ar bawb arall.

Mae'n bwysig dros ben ein bod yn dal sylw pryd yn union y bu i Iesu Grist siarad yn agored am y gwirionedd hwn. Ar y ddau achlysur y mae gennym gyfrif manwl amdanynt yn y Testament Newydd, digwyddodd pan oedd yn ymwybodol fod yr Iddewon yn diystyru'n gyfan gwbl arwyddocâd ei weithredoedd (Ioan 6 a 10). Ym marn gadarn a di-ildio Iesu Grist, dylasai ei weithredoedd argyhoeddi pawb ei fod yn anfonedig Duw a'u perswadio i gredu ynddo. 'Y gweithredoedd a roddes y Tad i mi i'w gorffen—y gweithredoedd hynny y rhai yr ydwyf fi yn eu gwneuthur—sydd yn tystiolaethu amdanaf fi, mai'r Tad a'm hanfonodd i' (Ioan 5:36). Gymaint oedd gelyniaeth dynion yn ei erbyn, fodd bynnag, fel eu bod yn dibrisio'r dystiolaeth honno'n llwyr. Dyna pryd yr aeth yntau yn ei flaen i ddadlennu'r ffaith fod Duw ei hun wrth y gwaith o roi eneidiau iddo. Edrychwn ar y ddau achlysur, gan ddechrau yn Efengyl Ioan a'r chweched bennod.

- Meddai Iesu Grist wrth y dyrfa a'i dilynodd wedi iddo gyflawni'r wyrth ryfeddol o borthi'r pum mil â phum torth a dau bysgodyn, 'Yr ydych chwi yn fy ngheisio i, nid oherwydd i chwi weled y gwyrthiau, eithr oherwydd i chwi fwyta o'r torthau a'ch digoni' (Ioan 6:26). Fel pe na bai'r wyrth fawr honno erioed wedi digwydd, ac yn sicr fel petai hi'n ddim o'i chymharu â'r wyrth a wnaeth Moses yn rhoi manna o'r nef i'r genedl yn yr anialwch, meddent hwythau, 'Pa arwydd yr ydwyt felly yn ei wneuthur, fel y gwelom, ac y credom ynot? Pa beth yr wyt ti yn ei weithredu?' (adnod 30). Wedi cywiro eu cyfeiriad at Moses a manteisio ar y cyfle i ddweud mai efe oedd Bara Duw yr hwn oedd yn rhoi bywyd i'r byd, meddai Iesu Grist, 'Dywedais wrthych i chwi fy ngweled, ac eto nid ydych yn credu' (adnod 36). Yn wyneb hynny aeth ymlaen i'w sicrhau, 'Yr hyn oll y mae'r Tad yn ei roddi i mi, a ddaw ataf fi; a'r hwn a ddêl ataf fi, nis bwriaf ef allan ddim' (adnod 37), gan ddilyn y gosodiad hwnnw â chyfeiriad llawnach at weithgarwch y Tad yn dwyn dynion a'u rhoi i'w Fab (yn adnod 44), a chyfeiriad pellach pan oedd yn siarad â'i ddisgyblion yn ddiweddarach (adnod 65).
- Rhywbeth tebyg a ddigwyddodd ar yr ail achlysur wedi iddo roi ei olwg i ŵr ifanc a oedd yn ddall o'i enedigaeth (Ioan 9) a

phan ddangosodd ei elynion yn eglur iawn eu cynddaredd yn ei erbyn. Yn dilyn cyflawni'r wyrth traddododd ddwy ddameg gan gyfeirio at ei ddisgyblion fel ei 'ddefaid ei hun' oedd bob amser yn ymateb yn gadarnhaol i'w lais. Yn ddiweddarach y gaeaf hwnnw, pan oedd yn rhodio yn y Deml, fe'i hamgylchynwyd gan Iddewon oedd yn hawlio ganddo dystiolaeth 'eglur' mai efe oedd y Crist. 'Os tydi yw'r Crist, dywed i ni yn eglur,' meddent, gan ddiystyru'r gwyrthiau a phob tystiolaeth arall a oedd o'i blaid. Dyna pryd y dywedodd Iesu Grist am ei ddefaid mai y Tad a'u rhoddes iddo. Mae'n werth darllen ei eiriau'n llawn:

> 'Yr Iesu a atebodd iddynt, "Mi a ddywedais i chwi, ac nid ydych yn credu. Y gweithredoedd yr wyf fi yn eu gwneuthur yn enw fy Nhad, y mae y rhai hynny yn tystiolaethu amdanaf fi. Ond chwi nid ydych yn credu; canys nid ydych chwi o'm defaid i, fel y dywedais i chwi. Y mae fy nefaid i yn gwrando fy llais i, a mi a'u hadwaen hwynt, a hwy a'm canlynant i. A minnau ydwyf yn rhoddi iddynt fywyd tragwyddol, ac ni chyfrgollant byth, ac ni ddwg neb hwynt allan o'm llaw i. Fy Nhad i, yr hwn a'u rhoddes i mi, sydd fwy na phawb; ac ni all neb eu dwyn hwynt allan o law fy Nhad i. Myfi a'r Tad un ydym' (Ioan 10:25–30). 'Onid wyf fi yn gwneuthur gweithredoedd fy Nhad, na chredwch fi. Ond os ydwyf yn eu gwneuthur, er nad ydych yn fy nghredu i, credwch y gweithredoedd, fel y gwybyddoch ac y credoch fod y Tad ynof fi, a minnau ynddo yntau"' (10:37–38).

Ar ddiwedd ei yrfa ddaearol, barn ystyrlon Iesu Grist oedd fod ei weithredoedd wedi eu gwneud yn gwbl ddiesgus. 'Oni bai wneuthur ohonof yn eu plith y gweithredoedd ni wnaeth neb arall, ni buasai arnynt bechod; ond yr awron hwy a welsant ac a'm casasant i a'm Tad hefyd. Eithr fel y cyflawnid y gair sydd ysgrifenedig yn eu cyfraith hwynt, "Hwy a'm casasant yn ddiachos"' (Ioan 15:25). At gyfanswm sylweddol ei weithredoedd gallasai fod wedi ychwanegu—fel y gwnaeth yn flaenorol—fod ei Dad wedi gosod ei sêl arno yn ei fedydd ac ar yr adegau hynny pryd y llefarodd o'r nef 'Hwn yw fy annwyl Fab yn yr hwn y'm bodlonwyd.' Gallasai hefyd fod wedi cyfeirio—fel y gwnaeth ar achlysuron eraill ac fel y gwnaeth Pedr mor odidog yn ei ail epistol (2 Pedr 16–21)—at y ffaith fod cynifer o broffwydoliaethau'r Hen Destament wedi eu cyflawni'n llwyr a manwl yn ei berson a thrwy ei ddyfodiad i'r byd.

Mewn dyddiau lle clywir cymaint o ddifrïo ar y dystiolaeth swmpus a sylweddol hon, dyma dir na ddylem ar unrhyw gyfrif ei ildio i neb. Yn lle cydnabod y pethau hyn, yr hyn a wnâi'r Iddewon oedd gofyn am ragor o arwyddion o hyd ac, yn y diwedd, ddangos pa mor galed oedd eu calonnau trwy fynnu'n gwbl ddiamynedd, 'Ymaith ag ef, ymaith ag ef, croeshoelier ef.' Yr hyn sy'n drist yw bod eu disgynyddion ysbrydol—o bob cenedl—hyd heddiw yn dal i roi'r un telerau i'r Brenin Mawr—'Pa arwydd yr wyt ti yn ei weithredu, fel y gwelom ac y credom ynot'—a dangos yr un ysbryd.

Yr hyn sy'n bwysig i ni ei sylweddoli, fodd bynnag, yw fod Iesu Grist wedi dadlennu'r ffaith fod ganddo'i ddefaid ei hun ac mai'r Tad fuasai'n eu rhoi iddo *er mwyn agor eu llygaid i'r gwrthodiad o Dduw a oedd yn llechu yn eu calonnau.* Rhaid i ninnau fod yn fodlon gwneud yr un peth, am yr un rheswm.

Mae gennym le i gredu bod ganddo un rheswm arall o leiaf dros wneud hynny.

Lle i droi

3. Er mwyn eu cyfeirio at yr unig un a allai oresgyn eu gwrthwynebiad, trawsnewid eu hanian naturiol a rhoi iddynt yr hyn fyddai'n angenrheidiol er mwyn eu galluogi i gredu yn Iesu Grist a'i ddilyn. Yr hyn sy'n peri i ni gredu bod hyn yn wir yw na wnaeth Iesu Grist ddim ei gyfyngu ei hun i'r cyhoeddiad moel fod ganddo'i ddefaid ei hun ac mai'r Tad fyddai yn eu rhoi iddo. Ar y ddau achlysur y cyfeiriwyd atynt, esboniodd yn fanwl *sut y byddai'r Tad yn eu rhoi iddo (Ioan 6) a beth fyddai nodweddion y*

cyfryw yn eu perthynas ag ef wedi hynny (Ioan 10:1–5). Gwnaeth hynny'n fwriadol, yn ddi-os, fel y byddai'r wybodaeth o gymorth i'w wrandawyr. Gan mai efengylu yw ein prif ddiddordeb ar hyn o bryd, fe'n cyfyngwn ein hunain i'r wybodaeth a roes Iesu Grist ar yr achlysur cyntaf (Ioan 6) ynghylch y posibilrwydd o ddod i gredu ynddo.

Wedi ei glywed yn cyfeirio at y ffaith fod ei Dad nefol wedi ei selio—hynny yw, ei fod trwy'r bedydd a'r llais o'r nef wedi cadarnhau'r ffaith mai ei Fab ydoedd—meddai'r Iddewon wrtho, 'Pa beth a wnawn ni, fel y gweithredom weithredoedd Duw?' (Ioan 6:28), gan olygu'n ddiau y gweithredoedd y byddai Duw yn eu cymeradwyo. Mae dau ystyr yn bosibl i ateb Iesu Grist—'Hyn yw gwaith Duw: credu ohonoch yn yr hwn a anfonodd efe.' Yr ystyr amlwg cyntaf yw'r ystyr fyddai'n ddiamheuol ym meddwl y sawl a ofynnodd y cwestiwn: yr hyn fyddai Duw yn ei gymeradwyo fyddai eu bod yn credu ynddo ef. Ond, a sylwi ar y ffaith fod Iesu Grist wrth ateb wedi dewis sôn am 'waith Duw' ac nid 'gweithredoedd Duw', ac yn ail mai'r peth hynod ynghylch gweddill ei ymateb yw ei fod wedi sôn yn fwy agored am waith Duw yn iachawdwriaeth dyn ar yr achlysur hwn nac ar unrhyw achlysur arall, ni allwn lai na chredu bod ystyr arall yn ogystal yn ei feddwl.

Beth allasai'r ystyr hwnnw fod? Dim llai na bod Iesu Grist yn dysgu'r Iddewon fod Duw wedi ymgymryd â'r gwaith o beri i ddynion—fyddai fel arall yn ei wrthod—gredu yn ei Fab. 'Hyn yw gwaith Duw: credu ohonoch yn yr hwn a anfonodd efe.'

Nid chwarae ar eiriau fyddai hyn. Ffordd gelfydd Iesu Grist ydoedd o ddweud mai'r hyn fyddai'n boddhau Duw fyddai iddynt gredu ynddo. Ond gwaith Duw fyddai hynny. A'r peth gorau y gallent hwy ei wneud fyddai gwneud yn eu bywyd yr hyn y byddai Duw yn ei wneud—yn union fel yr arferai Iesu Grist ddweud amdano'i hun mai ei arfer oedd gwneud gweithredoedd ei Dad. A dyna'r rheswm pellach pam y dadlennodd Iesu Grist, nid yn unig fod Duw yn achub 'rhai', ond hefyd sut yr oedd yn gwneud hynny: er mwyn i ddynion gydweithredu ag ef, er mwyn iddynt hwythau fedru cyflawni'r gweithredoedd y byddai Duw yn eu cyflawni.

Iddynt fedru gwneud hynny, fe fyddai'n angenrheidiol fod ganddynt syniad go glir beth fyddai natur y gwaith y byddai Duw yn ei wneud a pha arwyddion i chwilio amdanynt. Gellir crynhoi'r wybodaeth a roes Iesu Grist i dri gosodiad.

Yr arwyddion

1. Fe fyddai'n rhaid i'r Tad eu tynnu. 'Ni ddichon neb ddyfod ataf fi, oddieithr i'r Tad, yr hwn a'm hanfonodd, ei dynnu ef; a myfi a'i hatgyfodaf ef yn y dydd diwethaf' (Ioan 6:44). Beth yw'r arwydd, felly, fod Duw ar waith? Unrhyw beth sy'n awgrymu bod yr efengyl yn cael dylanwad, yn dechrau tynnu—a hynny, yn aml, pan fydd yna arwyddion fod y person yn cael ei dynnu i ddau gyfeiriad yr un pryd. Hwyrach yn fwy felly bryd hynny. Mor ddadlennol oedd geiriau Iesu Grist wrth yr Apostol, 'Caled yw i ti wingo yn erbyn y symbylau.'

2. Fe fyddai'n rhaid i'r Tad eu dysgu. 'Y mae yn ysgrifenedig yn y proffwydi, "A phawb a fyddant wedi eu dysgu gan Dduw." Pob un gan hynny sydd yn clywed gan y Tad, ac a ddysgodd, sydd yn dyfod ataf fi' (adnod 45). Dyna'r ffordd y bydd y Tad yn tynnu, trwy'r deall a'r gydwybod: nid trwy ymosod yn uniongyrchol ar y teimladau. Beth yw'r arwyddion y tro hwn felly? Yr un arwyddion â'r rhai sy'n oblygedig yn yr hyn yr oedd Iesu Grist yn chwilio amdano'n gyson trwy ei weinidogaeth: 'Yr hwn sydd ganddo glustiau i wrando, gwrandawed.' Wrth natur, dydi pobl ddim yn barod i wrando. Yn sydyn, rydych chi'n sylwi fod rhywun, ar ddiwedd oedfa efallai, neu ar sgwrs, yn dechrau dangos diddordeb a chymryd eu dysgu. Dyna'r arwyddion.

3. Fe fyddai'n rhaid i'r Tad hefyd roi'r ffydd i gredu ac i edifarhau (adnod 65). 'Ac efe a ddywedodd, "Am hynny y dywedais wrthych, na ddichon neb ddyfod ataf fi, oni bydd wedi ei roddi iddo oddi wrth fy Nhad."' Y peth cyntaf y mae'r

pechadur yn dod yn ymwybodol ohono ydi ei fod o'n gweld—yr hyn y byddai ein tadau yn ei alw'n 'cael ffydd i gredu'. Yr union beth y mae Iesu Grist yn ei addo yn yr adnodau yr ŷm ni'n eu hystyried. 'Y mae rhai o'r sawl sydd yn sefyll yma na phrofant angau, hyd oni welont deyrnas Dduw' (Luc 9:27)—gweld y Deyrnas: gweld y Brenin a'i garu. 'Lle yr oeddwn i gynt yn ddall yr wyf i yn awr yn gweled' meddai'r gŵr ifanc a gafodd ei olwg. 'Lle yr oeddwn innau'n ddall yr wyf innau nawr yn gweled' meddai pobl Dduw ar hyd y canrifoedd.

A'r hyn sy'n dilyn fel rhan o'r hyn sy'n cael ei roi yw: edifeirwch. Ac nid unrhyw fath o edifeirwch. Edifeirwch gwir, yr hyn y byddai ein tadau unwaith eto'n ei alw'n 'edifeirwch efengylaidd', mewn cyferbyniad i edifeirwch deddfol. Ein cael ein hunain yn 'casáu ein heinioes yn y byd hwn': casáu pechod a chasáu olion ein pechadurusrwydd fydd yn glynu wrthym tra byddwn byw yn y cnawd. Ac nid edifeirwch yn unig ond llawenydd a gorfoledd hefyd. Cael achos dyddiol i ryfeddu atom ein hunain. Tra oeddem ni gynt yn dianc oddi wrth Iesu Grist, cael ein bod ni'n awr yn ei garu ac yn fwy awyddus i wneud ei ewyllys nag un dim arall. Adnabod ei blant nid fel rhai i'w hosgoi, fel cynt, ond fel brodyr a chwiorydd yng Nghrist. Darllen ei Air nid fel defod farw ond fel ein pleser a'n diddanwch pennaf. A'r 'gweld' yn parhau. Gweld popeth mewn goleuni gwahanol. Gweld y cyfan wedi ei wneud yn newydd. Yn bwysicach na dim, ein gweld ein hunain yn ddynion newydd.

Ym mha ysbryd?

Gofynnwn, yn ail, ym mha ysbryd y cyfeiriodd Iesu Grist at y gwirionedd rhyfeddol yma? A'r ateb yw, mewn ysbryd o ddannod i ddynion eu bod yn diystyru ei wahoddiad ac yn gwrthod credu ynddo pan oedd yntau yn ceisio'u darbwyllo ym mhob ffordd bosibl i wneud hynny. Fe fyddai'n amhosibl i neb ddadlau wrth ei ymddygiad fod y ffaith ei fod yn gwybod y byddai Duw yn rhoi 'rhai' eneidiau iddo yn lleihau ei faich dros weld cynifer â phosibl yn dod i gredu ynddo.

- Eglurodd yn ofalus beth oedd amodau derbyniad i'w deyrnas gan fod yn ffyddlon yr un pryd i'w Dad nefol ac i ddynion. Ymresymodd â'i gynulleidfa. Fe'u sicrhaodd y gallent fentro'u bywyd ar ei eiriau—'o'm plegid i a'r efengyl'. Gwnaeth yn hollol glir iddynt y caent eu barnu am wrthod. Wylodd drostynt. Gofalodd rhagluniaeth garedig fod y wybodaeth honno ar gael heddiw fel ein bod ninnau i gyd yn ddiesgus.

- Gwnaeth lawer mwy na hynny. Trwy'r ymdaro a fu rhyngddo a'r Iddewon, eglurodd mai'r rheswm pam nad oedd dynion yn credu ynddo, nac yn barod i ildio'u bywydau yn ôl i Dduw, oedd, nid unrhyw fai ynddo Ef nac yn Nuw ond eu bod yn benderfynol o fyw eu bywyd yn annibynnol ar Dduw a dilyn eu goleuni eu hunain. Gwnaeth yn gwbl glir iddynt fod rhaid i rywbeth mawr ddigwydd yn eu hanes cyn y byddent yn troi—a bod y peth mawr hwnnw yn dod oddi wrth Dduw.

- Yn wir, fe aeth ymhellach na hynny hyd yn oed. Fe'i gwnaeth yn berffaith glir beth fyddai'r gwaith y byddai'r Tad yn gorfod ei wneud yng nghalon pechaduriaid cyn (ac wrth) eu haileni, neu, a defnyddio'i ymadrodd ef ei hun, wrth eu 'rhoi' iddo a thrwy hynny eu galluogi i etifeddu bywyd tragwyddol (Ioan 6:37). Does dim modd peidio â sylwi ar y ffordd y byddai Iesu Grist ei hun bob amser yn ymateb yn gadarnhaol i unrhyw un a fyddai'n dod ato ac yn dangos unrhyw arwydd y gallasai'r Tad fod ar waith yn eu calonnau, er enghraifft trwy iddynt ddangos parodrwydd i wrando arno neu amlygu ffydd ynddo—ffydd yn ei allu, yn ei barodrwydd i drugarhau. Rhaid i ninnau ymddwyn yn debyg a bod yn barod i werthfawrogi ffydd syml, ostyngedig, yn addewidion Iesu Grist—hyd yn oed mewn rhai ifanc iawn—fel arwydd posibl o waith gras, a hyd yn oed o waith gras achubol.

Yn wyneb y fath dystiolaeth, fe ellir maddau i'r sawl a ddadleuodd ar hyd y canrifoedd fod dynion yn sicr o ymateb yn gadarnhaol i'r holl wybodaeth ynghylch eu cyflwr argyfyngus, a'u hunig obaith am fywyd tragwyddol, a throi at Dduw. Fuasai Iesu Grist ddim yn trafferthu i'w goleuo, meddent, oni bai fod hyn yn bosibl onid yn debygol.

Fe allwn gytuno yn sicr y dylent wneud hynny. Eu dyletswydd yw gwneud hynny: 'Y mae Duw yn gorchymyn ar i bob dyn ym mhob man edifarhau.' A phe gwnaent hynny, ni chaent eu gwrthod: 'Ni wrthyd neb a ddêl.' Ond does gennym ddim sail yn yr Ysgrythur dros gredu y digwydd hynny ar wahân i ymyrraeth ddwyfol. I'r gwrthwyneb, y dystiolaeth Ysgrythurol yw bod yn rhaid i'r cyfan—gan gynnwys y galon newydd—ddod oddi wrth Dduw. Mae'n agored i unrhyw bechadur i brofi'n wahanol. A dywedwn eto, ni châi ei wrthod pe deuai o'i wirfodd ei hun. Mae'n gyfrifoldeb arno i ddod. Ac fe gaiff ei farnu am beidio dod.

Ni allem wneud yn well na chloi'r bennod hon drwy adael i'r Parch. William Roberts, Amlwch (1784–1864)—gŵr y bu i'r Brenin Mawr eneinio ei weinidogaeth mewn modd arbennig yn ei ddydd, a hynny er iachawdwriaeth llaweroedd—ddangos y ffordd i ninnau sut y mae mynd i'r afael â'r gwaith o berswadio pechaduriaid i droi at Dduw a chredu yn ei Fab. Meddai ei gofiannydd, y Parch. Hugh Jones, amdano, '[Y] ffydd galfinaidd oedd ei ffydd; ond, fel un wedi ei ddysgu i deyrnas nefoedd, gallai ddala ei ffydd heb beri iddi gyfyngu yn ei weinidogaeth ar y fynedfa lydan, agored, y mae yr efengyl yn ei dal o flaen pechaduriaid at Waredwr. Gwyddai mai pwrpas ymarferol oedd i wirioneddau mawrion crefydd Crist; mai nid gwirioneddau i ddamcanu uwch eu pennau oeddynt, ond galluoedd cryfion i weithio ar ddynion, eu cymell i ymdrech am fod yn gadwedig, ac i fywyd sanctaidd, ac yn y wedd hon y gosodai hwynt o flaen ei wrandawyr. Cymhellai bawb, yn ddiwahaniaeth, yn holl ddifrifwch ei ysbryd, i ddyfod at Grist, a diosgai hwynt yn ddiseremoni o'u hesgusodion.' Rhoddir amlinelliad llawn ei gofiannydd o'i eiriau gwerthfawr yn yr atodiad cyntaf a geir ar ddiwedd y gyfrol hon (t.145).

Yn ystod ei weinidogaeth, gwnaeth Iesu Grist bopeth y gellid yn rhesymol ei ddisgwyl ganddo er mwyn cynorthwyo ei wrandawyr i ddeall beth oedd amodau derbyniad i'w Deyrnas, beth oedd yn eu cadw'n ôl a beth fyddai raid digwydd iddynt cyn y byddent yn derbyn yr amodau hynny. At hynny fe ellir ychwanegu bod ei fywyd dilychwin, ei ddysgeidiaeth eneiniedig, a'i weithredoedd yn anad dim, yn ddigon o reswm dros iddynt roi eu hymddiried ynddo ac ymateb yn gadarnhaol i'w wahoddiad. Gallwn gasglu'n deg, felly, eu bod yn ddiesgus ac i'w beio'n fawr. Ond yn y geiriau y buom ni yn bennaf yn eu hystyried (Math. 16:24–28; Marc 8: 34—9:1; Luc 9:23–27), canfyddwn un peth rhyfeddol arall a wnaeth yn hanes y genhedlaeth a fu'n gwrando arno. Ac at yr un peth hwnnw y trown yn y bennod nesaf.

10
Y ddau 'ddod'

Mae o'r pwys mwyaf ein bod yn gofyn i ni ein hunain bellach *pam* y bu i'r Arglwydd Iesu Grist gyfeirio at y ffaith y buasai 'rhai o'r rhai' oedd yn gwrando arno yn fyw pan fyddai'n dod 'yn ei frenhiniaeth' i ymweld â'i bobl (Math. 16:27; Marc 9:1; Luc 9:27), a *pham* ei fod wedi gwneud y cyhoeddiad hwnnw i ddilyn ei gyfeiriad ato yn dod yn niwedd y byd. Beth barodd iddo osod y ddau 'ddod' ochr yn ochr â'i gilydd fel hyn, a pha reswm oedd ganddo dros roi pwyslais arbennig ar yr ail broffwydoliaeth trwy ddefnyddio'r geiriau cyfarwydd, 'yn wir, yn wir meddaf i chwi'?

Os wynebwn y cwestiynau hyn yn ofalus, cawn achos pellach i ryfeddu at raslonrwydd Iesu Grist—y gofal di-ben-draw a gymerodd i wneud dyn yn gwbl ddiesgus am beidio â chredu ynddo. Afraid yw dweud bod y ddwy broffwydoliaeth yn rhyfeddol. Pwy arall yn ei synhwyrau a feiddiai wneud gosodiadau mor bellgyrhaeddol. A chymryd eu bod yn wir, gallwn, yn dawel fach, ychwanegu bod doethineb Iesu Grist yn eu gosod fel hyn ochr yn ochr â'i gilydd yr un mor rhyfeddol. Ein tasg, felly, yw ystyried pam y gwnaeth hynny.

Difrifoli'r anghrediniwr

Ffordd nodweddiadol Iesu Grist o danlinellu rhywbeth fyddai'n berthnasol i'r hyn a ddywedodd yn flaenorol oedd rhagflaenu'r gosodiad hwnnw gyda'r geiriau 'Yn wir, yn wir, y dywedaf i chwi'. Fe fyddai'r gosodiad hwnnw'n bwysig ynddo'i hunan. Fe fyddai hefyd yn codi oddi ar yr hyn a ddywedwyd ynghynt, ac fe fyddai'r naill osodiad yn taflu goleuni ar y llall.

Yn yr adnodau sydd dan ystyriaeth (Rhestr A, t.33), roedd Iesu

Grist newydd egluro y byddai canlyniadau difrifol yn dilyn anwybyddu neu ddiystyru ei eiriau'n egluro'r ffordd i'r Deyrnas. Y gwahoddiad i'w ddilyn a'r amodau sy'n dod gyntaf (Math. 16:24). Yna, tri sylw perthnasol, bob un yn dechrau gyda'r gair bach 'canys', a phob un yn egluro pam y dylai pawb dderbyn y gwahoddiad (adnodau 25–27).

Yn y trydydd gosodiad (adnod 27) mae Iesu Grist yn egluro bod Dydd Barn yn dod, pryd y delir pob dyn yn gyfrifol am ei ymateb i'r gwahoddiad, *ac, yn ail, mai ef ei hun fydd y Barnwr y diwrnod hwnnw.* Meddai wrth ei ddisgyblion, 'Canys Mab y dyn a ddaw yng ngogoniant ei Dad gyda'i angylion, ac yna y rhydd efe i bob un yn ôl ei weithred' (Math. 16:27). Meddai wrth y dyrfa gymysg, 'Canys pwy bynnnag a fyddo cywilydd ganddo fi a'm geiriau yn yr odinebus a'r bechadurus genhedlaeth hon, bydd cywilydd gan Fab y dyn yntau hefyd, pan ddêl yng ngogoniant ei Dad gyda'r angylion sanctaidd' (Marc 8:38).

Mae'n wirionedd i ddifrifoli pob un ohonom. *Y sawl a'i gwnaeth hi'n bosibl i bechaduriaid gael eu gwahodd i'w Deyrnas, y sawl sydd hefyd yn estyn y gwahoddiad, yw'r un a benododd Duw i ddedfrydu tynged dragwyddol pob enaid byw.* 'Ac efe a orchmynnodd i ni bregethu i'r bobl, a thystiolaethu mai efe yw'r hwn a ordeiniwyd gan Dduw yn Farnwr byw a meirw' (Actau 10:42). Mae'r dydd yn dod pryd y bydd rhaid i bob un ohonom edrych yn wyneb Iesu Grist a phlygu i'w ddyfarniad—gan gynnwys 'y rhai a'i gwanasant ef' yn ystod eu bywyd (Dat. 1:7).

Y duedd arferol—y dyddiau hyn yn arbennig felly—yw gwadu'n agored fod y fath beth yn bosibl, ond nid yw hynny ond claddu ein pennau yn y tywod a'n perswadio ein hunain ein bod yn gwybod yn well.

Cynorthwyo dynion i beidio â bod mor ffôl oedd un rheswm, yn sicr, pam yr aeth Iesu Grist yn ei flaen i broffwydo digwyddiad arall, a fuasai mewn rhai ffyrdd yn debyg i'r digwyddiad y cyfeiriodd ato'n flaenorol, ond digwyddiad y tro hwn *y buasai rhai o'i wrandawyr yn llygad dystion ohono ac yn abl, o'r herwydd, i gadarnhau o'u profiad ei fod yn dweud y gwir.*

Mewn gair, defnyddio achlysur llai oedd hyn er mwyn cadarnhau'r ffaith y buasai'r digwyddiad mwy yn sicr o ddigwydd. Gallwn ddweud yn ddibetrus, felly, fod y geiriau hyn, a'u cyflawniad ddydd y Pentecost, yn enghraifft ryfeddol o'r ffordd y bu i Iesu Grist geisio darbwyllo'i wrandawyr—ynghyd â phawb trwy'r oesau a ddeuai i glywed amdanynt—i gredu yng ngeirwiredd ei eiriau, yn enwedig felly mewn perthynas â Dydd y Farn.

Yr elfen o gyfatebiaeth

Y mae mwy i'w eiriau na hynny hyd yn oed. Mae'r ddwy broffwydoliaeth yn sôn am Iesu Grist 'yn dod'. Y gyntaf yn sôn amdano'n dod 'yng ngogoniant ei Dad gyda'r angylion sanctaidd' a'r llall amdano'n dod 'yn ei frenhiniaeth'. Dyna pam, ar waethaf y ddau ddisgrifiad o'r ddwy ffordd wahanol iawn y daw, y myn rhai mai cyfeirio at yr un Dyfodiad y mae yn y ddwy broffwydoliaeth. I'r sawl sy'n credu'n wahanol, y cwestiwn sydd raid ei ofyn yw hwn, 'Pam y gwnaeth Iesu Grist ddewis y llwybr yma i gadarnhau'r ffaith fod ei ddyfodiad i'r byd ar Ddydd y Farn yn sicr?'

Nid rhywbeth damweiniol yw'r ffaith fod yna elfen o gyfatebiaeth rhwng y ddwy broffwydoliaeth. Yn un peth, ei Dad oedd yn gyfrifol am bob ymadrodd o'i eiddo: 'Y geiriau yr wyf fi yn eu llefaru wrthych, nid ohonof fy hun yr wyf yn eu llefaru; ond y Tad yr hwn sydd yn aros ynof, efe sydd yn gwneuthur y gweithredoedd' (Ioan 14:10). I geisio ateb i'n cwestiwn, felly, rhaid sylwi'n ofalus ar y nodwedd hon sydd, mae'n amlwg, nid yn unig yn drawiadol, ond yn fwriadol.

A'r unig esboniad y gellir meddwl amdano yw fod yna elfen o gyfatebiaeth *rhwng y ddau ddigwyddiad* a bod Iesu Grist, trwy gyplysu'r ddau ddigwyddiad fel hyn â'i gilydd, yn paratoi'r dyrfa gymysg ar gyfer un nodwedd o'i ymweliad, pan ddeuai yn ystod oes rhai ohonynt, sef sancteiddrwydd ei bresenoldeb a'r anesmwythyd, onid yr ofnadwyaeth, fyddai hynny'n ei achosi—o leiaf i rai, dros gyfnod. Gadewch i ni ystyried hyn.

Mae'n amlwg fod Iesu Grist yn yr ail broffwydoliaeth yn disgrifio beth oedd yn mynd i ddigwydd *yn ystod eu hoes* i ddau ddosbarth o'r rhai oedd yn gwrando arno. Yr hyn fyddai'n digwydd i'w ddisgyblion fyddai ei weld ef yn dyfod yn ei frenhiniaeth. A'r hyn fyddai'n digwydd i lawer o'r gynulleidfa gymysg oedd yn gwrando arno fyddai gweld â'u llygaid eu hunain nid tyrfa'n llawn o win melys ond Teyrnas Nefoedd yn gweithredu'n nerthol ym mywyd ei deiliaid—rhywbeth na ddigwyddodd iddynt o'r blaen, a rhywbeth, yn ôl geiriau Iesu Grist wrth Nicodemus, a fyddai'n rhan o'r profiad o gael eu haileni, a chael mynd i mewn i'r Deyrnas honno eu hunain.

Fel yr eglurwyd eisoes, cawn yma ddarlun perffaith o'r hyn a ddigwyddodd ar ddydd y Pentecost, ac nid ar y diwrnod hwnnw'n unig ond ym mhob cyfnod pan fo'r Arglwydd Iesu Grist yn ymweld â'i bobl—yn dod yn ei frenhiniaeth.

Dod y mae, yn gyntaf, at ei saint a'u bedyddio hwy â'r Ysbryd Glân. A chanlyniad hynny bob amser yw bod y cyfryw yn gweld Iesu Grist fel nas gwelsant ef erioed o'r blaen, ac yn gweld godidowgrwydd yr efengyl fel nas gwelsant hi erioed o'r blaen. Nid gweld Iesu Grist fel pe baent heb erioed ei weld na'i adnabod o'r blaen, ond ei weld yn dod 'yn ei frenhiniaeth' i geisio'i ddefaid. O ganlyniad, codir eu hamgyffrediad o wirioneddau'r efengyl i ddimensiwn hollol newydd ac ysblennydd. 'Pan ddêl efe, sef Ysbryd y gwirionedd, efe a'ch tywys chwi i'r holl wirionedd; canys ni lefara ohono'i hun, ond pa bethau bynnag a glywo a lefara efe; a'r pethau sydd i ddyfod a fynega efe i chwi' (Ioan 16:13).

Meddylier am eiliad, disgyblion cyffredin Iesu Grist yn cael 'eu tywys' gan neb llai na'r Ysbryd Glân ei hun *'i'r holl wirionedd'*! Ar ben hynny, yr Ysbryd Glân yn mynegi'r *'pethau sydd i ddyfod'* —yn y nefoedd! Disgrifiad y Piwritan John Flavel (m. 1691) o'r diwrnod pryd y digwyddodd hyn iddo ef oedd—'un o ddyddiau'r nefoedd'. A'i dystiolaeth? Ddarfod iddo ddysgu mwy am y nefoedd yn yr oriau hynny na thrwy'r holl lyfrau a ddarllenodd a'r trafodaethau a gafodd amdani. Nid yw'n syndod yn y byd fod y cyfryw ar dân dros Iesu Grist a thros yr efengyl.

Yr un pryd agorir llygaid llaweroedd o rai fuasai hyd hynny'n gwbl amharod i dderbyn mai deiliaid Teyrnas Dduw fuasai'r cyfryw. Ac fel y dywedwyd eisoes, gan fod hynny'n cael ei gyfrif gan Iesu Grist fel rhan o'r hyn sy'n digwydd pan fo dynion yn cael eu haileni, cymerwn fod y cyfryw ymhlith y defaid y daeth y Bugail da i'w ceisio.

Dyna'r ddwy agwedd a gysylltwn fynychaf â chyfnodau o adfywiad ysbrydol—y saint yn cael eu bywhau a llaweroedd yn dod i gredu.

Ond ai dyna'r cyfan sy'n digwydd mewn dyddiau o ymweliad dwyfol? Beth am dystiolaeth llawer ardal a brofodd y dylanwadau dwyfol yn y gorffennol, bod ofn Duw wedi disgyn ar yr holl drigolion? Beth am drwch y boblogaeth lle mae'r pethau hyn yn digwydd? Beth am y rhai hynny y gwnaeth y cyfnod argraff ddofn arnynt ar y pryd, ac eto na ellid dweud amdanynt eu bod, o ganlyniad i'r Ymweliad, wedi dod i gredu yn Iesu Grist a chyflwyno'u bywydau iddo? Beth am y minteioedd a fu'n mynychu'r oedfaon, a hynny dan deimladau dwys, na chlywid sôn amdanynt yn mwynhau cymdeithas â'r saint yn fuan iawn wedyn? Beth am y tafarnau'n cau ac arferion ofer yn peidio—dros dro?

Ardaloedd ar eu deulin

Hwn yw'r trydydd peth sy'n digwydd o ganlyniad i Ymweliad Dwyfol. Mae'n wir y bywheir y saint. Mae'r un mor wir yr enillir eneidiau lawer i'r Deyrnas. Ond y mae hefyd lawn mor wir y dwyseir llawer rhagor—*gan gynnwys, ar y dechrau, ysywaeth, lawer o'r saint fydd wedi llithro'n ôl yn ysbrydol.*

Ni ddylai hyn fod yn achos syndod i neb. Sôn yr ŷm am Dduw'r Mab, trwy ei Lân Ysbryd, yn agosáu at ei bobl mewn lleoliad arbennig. Mae effeithiau hynny, tra pery, yn ymestyn ymhell y tu hwnt i ffiniau eu profiad hwy fel unigolion. Adeg Diwygiad '04 yn ardal Rhosllannerchrugog roedd gohebwyr papur newydd yn tystio eu bod yn cerdded i mewn i Ddiwygiad wrth ddringo'r allt o Johnstown, ymhell cyn iddynt gyrraedd y capeli lle cynhelid yr oedfaon.

A dyna arwyddocâd yr elfen o gyfatebiaeth sy'n esboniad pellach pam y gwnaeth Iesu Grist osod y ddwy broffwydoliaeth ochr yn ochr â'i gilydd. Mae'r ddwy yn sôn am yr un Person Dwyfol yn dod. O'r herwydd, mae'r ddwy yn taflu goleuni ar ei gilydd.

Beth fydd adwaith dynion yn gyffredinol i Iesu Grist pan ddaw ar derfyn amser i weinyddu barn? 'A brenhinoedd y ddaear, a'r gwŷr mawr a'r pen-capteiniaid a'r cyfoethogion a'r gwŷr cedyrn, a phob gŵr caeth a phob gŵr rhydd, a ymguddiasant yn yr ogofeydd ac yng nghreigiau'r mynyddoedd. A hwy a ddywedasant wrth y mynyddoedd a'r creigiau, "Syrthiwch arnom ni, a chuddiwch ni o ŵydd yr hwn sydd yn eistedd ar yr orseddfainc, ac oddi wrth lid yr Oen. Canys daeth dydd mawr ei ddicter ef, a phwy a ddichon sefyll?"' (Dat. 6:15–17).

Beth fydd adwaith dynion yn gyffredinol i Iesu Grist pan fydd yn ymweld â'i bobl i'w bywhau a'u defnyddio er iachawdwriaeth eneidiau? Gadawn i William Williams o Bantycelyn ateb:

Marchog Iesu, yn llwyddiannus,
  Gwisg dy gleddau 'ngwasg dy glun;
Ni all daear dy wrth'nebu,
  Chwaith nag uffern fawr ei hun:
Mae dy enw mor ardderchog,
  Pob rhyw elyn gilia draw;
Mae dy arswyd trwy'r greadigaeth;
  Tyrd am hynny maes o law.

Argyhoeddi'r byd

Yr un yw'r Arglwydd Iesu Grist sy'n ymweld â'i bobl â'r Arglwydd Iesu Grist fydd yn dod yng ngogoniant ei Dad a'r angylion sanctaidd ar Ddydd y Farn. Nid yw'n syndod yn y byd fod pechaduriaid, pan ddigwydd hynny, yn dod yn ymwybodol o'u hamhuredd a'u hafradlonedd.

At y wedd hon i'w ymweliad y cyfeiriodd Iesu Grist yn yr Oruwchystafell, pan eglurodd i'w ddisgyblion mai un canlyniad tywallt ei Lân Ysbryd arnynt fyddai, y byddai'r Ysbryd Glân yr un pryd yn argyhoeddi'r byd o bechod, o gyfiawnder ac o farn: o bechod am nad oeddynt wedi credu ynddo; o gyfiawnder am y buasai prif-ladmerydd cyfiawnder wedi dychwelyd at y Tad; o farn, oherwydd fod y sawl yr oeddynt yn ei wasanaethu, sef Tywysog y byd hwn, wedi ei farnu eisoes, a'r un fyddai tynged ei ddinasyddion.

Ddywedodd Iesu Grist ddim y byddai pawb a gâi eu hargyhoeddi yn dod i gredu. Yn wir mae Luc, wrth gofnodi hanes y tywalltiad cyntaf o'r Ysbryd Glân, yn gwahaniaethu'n ofalus iawn rhwng y dyrfa a gafodd ei difrifoli'n fawr a'r rhai a ddaeth, o ganlyniad i hynny, i gredu. Fe dalai i ni sylwi'n ofalus ar ei eiriau:

'Hwythau,' sef y dyrfa, 'wedi clywed hyn, a ddwysbigwyd yn eu calon, ac a ddywedasant wrth Pedr a'r apostolion eraill, "Ha wŷr frodyr, beth a wnawn ni?"' 'Yna,' medd Luc, 'y rhai a dderbyniasant ei air ef yn ewyllysgar a fedyddiwyd . . . Ac yr oeddynt [hwy] yn dyfalbarhau yn athrawiaeth yr apostolion, ac yn y gymdeithas, ac yn y torri bara, ac yn y gweddïau.' Yna yn ôl at y gweddill: 'Ac ofn a ddaeth ar bob enaid.' A thrachefn, hyd ddiwedd y bennod, yn ôl at y credinwyr: 'A'r rhai a gredent oll oeddynt gyda'i gilydd, a phob peth ganddynt yn gyffredin . . .' (Actau 2:37; 41–47).

Yr hyn sy'n profi bod y dylanwadau hyn yn nerthol—ond ddim o angenrheidrwydd yn arwain at dröedigaeth—yw'r disgrifiad ohonynt ar waith ym mhrofiad rhai a wrthododd gredu yn Iesu Grist (er cael eu hargyhoeddi, i fesur, y dylent edifarhau ac ildio'u bywydau i Dduw) a geir yn y chweched bennod o'r Epistol at yr Hebreaid. 'Canys amhosibl yw i'r rhai a oleuwyd unwaith, ac a brofasant y rhodd nefol, ac a wnaethpwyd yn gyfranogion o'r Ysbryd Glân, ac a brofasant ddaionus air Duw a nerthoedd y byd a ddaw, ac a syrthiant ymaith, gael eu hadnewyddu drachefn i edifeirwch, gan eu bod yn ailgroeshoelio iddynt eu hunain Fab Duw ac yn ei osod yn watwar' (Heb.

6:4–6). Fe'u hadnewyddwyd unwaith i edifeirwch. Ond 'ymaith ag ef' meddent am Iesu Grist—hwythau wedi eu goleuo!

Yr hyn sy'n rhyfeddod yw caredigrwydd Iesu Grist yn ogymaint â'i fod yn bwriadu i hyn ddigwydd. Nid rhywbeth na ellid ei osgoi oherwydd ei fod yn ymweld â'i bobl fyddai. Yn ychwanegol at bopeth a wnaeth ac a ddywedodd yn ystod ei yrfa ddaearol fel y byddai dynion yn ddiesgus, fe fyddai'n ymweld mewn modd arbennig â'i bobl trwy dywallt ei Lân Ysbryd arnynt, ac yn gwneud hynny'n rhannol er mwyn i eraill ddod yn ymwybodol o'u pechod yn gwrthod credu ynddo.

O! ryfedd ras, o gofio eu bod ychydig wythnosau ynghynt wedi mynnu ei groeshoelio, ac mai un rheswm pam ei fod yn gwneud hyn oedd er mwyn galluogi ei ddisgyblion i wynebu eu casineb. Saith gwaith, yn yr oruwchystafell, yn yr adnodau sy'n blaenori'r cyhoeddiad fod hyn i ddigwydd (Ioan 15:18-5), mae'n defnyddio'r gair 'casáu' i ddisgrifio'u hymddygiad.

Wrth ryfeddu at ei gariad a'i ddoethineb, ei ddyfalbarhad a'i hirymaros, oni ddylai hyn—ymhlith llawer iawn o ystyriaethau eraill—ein symbylu i erfyn arno unwaith yn rhagor i ymweld â'n gwlad? Dylai yn sicr. Ond i'r sawl fydd yn gofyn a ddaw y sawl a gyffyrddir gan yr Ysbryd Glân bryd hynny o'u gwirfodd i gredu yn Iesu Grist, y cyngor gorau fyddai eu cymell i ddarllen adroddiad Dr Owen Thomas (yn *Cofiant John Jones, Talsarn*) o'r ymdaro fu rhwng John Jones a John Elias ar yr union bwynt hwn yng Nghymdeithasfa'r Bala yn 1835 (gweler Atodiad 3, t.157).

Ôl-nodiad. Os cyfeirio at waith yr Ysbryd Glân yn argyhoeddi ac nid o angenrheidrwydd yn aileni'r cyfryw yr oedd Iesu Grist yn yr adnodau y cyfeiriwyd atynt (Ioan 16:8–11), yna mae anhawster yn codi. Ymhle, yn ei ddisgrifiad yn yr oruwchystafell o'r hyn a fyddai'n digwydd pan fyddai'n tywallt ei Lân Ysbryd ar ei ddisgyblion, y mae cyfeiriad at waith yr Ysbryd Glân yn dwyn dynion i mewn i'r Deyrnas? Ai argyhoeddi'r byd o bechod, o gyfiawnder ac o farn yn unig—ynghyd â chyfoethogi profiadau'r disgyblion—a wnâi'r Ysbryd Glân 'pan ddeuai'? Gan fod y cwestiwn hwn yn ein cymryd y tu allan i derfynau'r anerchiadau draddodwyd yn y Gynhadledd yn Aberystwyth, i'r sawl sydd â diddordeb fe'i trafodir yn yr ail Atodiad a geir ar dudalen 147.

11
Edrych ymlaen

Roedd gen i ffrind, un o'm ffrindiau anwylaf. Glöwr oedd o wrth ei alwedigaeth, a gwerthwr llysiau a ffrwythau o gylch y tai wedi hynny. Os gwelais i hiraeth yn neb erioed am weld Iesu Grist yn dod mewn adfywiad, fe'i gwelais yn hwn.

Wnaiff y wraig a minnau byth anghofio parcio'r car wrth glwyd y fynwent lle roedd o'n cael ei gladdu. Roeddwn i newydd fynd i lawr at lan y bedd a'r wraig yn gwrando ar ddau ŵr, o'r pentre cyfagos, yn pwyso ar y glwyd ac yn dweud wrth ei gilydd, 'Maen nhw'n claddu dyn da iawn heddiw.' Roedden nhw'n claddu dyn gwell nag oedden nhw yn ei ystyried.

Ar ddechrau'r flwyddyn, pan fyddai eraill yn llawn stŵr ynghylch eu haddunedau a'u cynlluniau, un cwestiwn oedd ar feddwl a chalon Raymond Rees—'Ai 'leni fydd hi?' Roedd yn gas ganddo fisoedd yr haf. Fe fyddai'n fy sicrhau, rywbryd tua mis Mai, na fyddai adfywiad yn debyg o ddigwydd 'o hyn i'r Hydref'—a minnau'n gorfod dod am bythefnos i Gynadleddau'r Mudiad yn Aberystwyth, yn mawr obeithio y byddai rhywbeth bach yn siŵr o ddigwydd yno! Na, dim byd, ddim hyd yr Hydref.

Fe fyddai yn fy ffonio'n gyson, bron bob wythnos, ac yn ddieithriad hwn oedd y pwnc. Ac nid pwnc damcaniaethol oedd o iddo. Chefais i ddim nabod neb erioed a dreuliodd fwy o amser ar ei liniau na hwn—yn holi'r achos gyda'i Dduw.

Hiraeth am brofi ymweliad dwyfol, am gael gweld Iesu Grist yn dod yn ei frenhiniaeth—faint a wyddom ni am hyn, tybed? Er mwyn i ni weld eneidiau yn troi, meddech? Ie yn sicr. Er mwyn i ni weld enw Duw yn mynd yn fawr a'i enw'n cael ei barchu, ei ofni a'i sancteiddio unwaith eto yn ein gwlad? Ie yn sicr iawn.

Ond, yng nghyd-destun ein trafodaeth—ein dyletswydd i efengylu—er mwyn rhywbeth arall hefyd, sydd lawn mor bwysig: er mwyn ein galluogi i ledaenu'r newyddion da am Iesu Grist a'i deyrnas; er mwyn ein gosod ar dân dros yr efengyl; er mwyn ein llenwi â rhyfeddod at gariad Duw yn Iesu Grist a'n meddiannu â hyder newydd i ddweud yn dda amdano a chael pawb a allwn i gredu ynddo; er mwyn ein codi uwchlaw ein hofnau.

Cynhadledd y Rhyl

Digwyddodd rhywbeth anghyffredin i mi yn ystod Cynhadledd Gymraeg y Mudiad a gynhaliwyd yn y Rhyl yn 1959—rhywbeth a fu'n gynhaliaeth fawr i mi ar hyd y blynyddoedd. Y Parch. Arthur Pritchard oedd yn annerch y flwyddyn honno a'i bwnc oedd Diwygiad. Yn gynnar yn yr wythnos fe aethom am dro ill dau i'r wlad. Roedd ganddo rywbeth i'w ddweud wrthyf. 'Wyddost ti,' meddai, 'a ninnau yma o bob rhan o Gymru, fe all hi dorri'n fendith cyn diwedd yr wythnos. Fe allasem fod yn mynd â'r fendith i'n canlyn i'n gwahanol ardaloedd.' Roedd o'n ei gredu ac o'r braidd yn ei ddisgwyl. Er i mi wrando arno'n ofalus, fedrwn i yn fy myw fynd i mewn i'r ymdeimlad o hyder ei fod yn debygol, os nad yn sicr, o ddigwydd. Yr un pryd, wrth ei weld mor eiddgar, allwn i ddim llai na'i edmygu. Os bu rhywun o weision Duw yn barod i hynny ddigwydd yn ystod ei ddyddiau—ac i wynebu'r cyfrifoldeb—Arthur Pritchard oedd hwnnw.

Fe ddaethom i fore ola'r Gynhadledd. Ar ddiwedd yr anerchiad penderfynwyd cynnal cwrdd gweddi yn y fan a'r lle—rhywbeth na ddigwyddodd erioed o'r blaen. Dyna pa mor barod oedd y siaradwr i weld y fendith yn disgyn cyn i ni droi am adref, ac, i ddyfynnu'i eiriau, i ninnau 'fynd â'r fendith hefo ni i bob rhan o Gymru'. Chawsom ni mo'r fendith yr oeddem yn gweddïo amdani y bore hwnnw, na chwedyn chwaith, er gweddïo'n daer amdani.

Ond fe ddigwyddodd peth rhyfedd i mi y noson honno. Y noson flaenorol cefais fy neffro o gwsg, dim ond am ychydig eiliadau, mae'n wir, ond yn ddigon hir i mi deimlo arswyd presenoldeb tywyll, onid dieflig, yn yr ystafell. Y cyfan a wnes i oedd tynnu dillad y gwely'n dynnach dros fy ysgwydd—a mynd yn ôl i gysgu.

Wrth wisgo yn y bore, gofynnais i'r Parch. Gwilym Humphreys, a oedd yn cydletya â mi, oedd yna rywbeth wedi digwydd iddo fo yn ystod oriau'r nos. Roedd yr un peth wedi digwydd iddo yntau. Ar y ffordd i'r Cwrdd Gweddi y bore hwnnw, dywedais wrth Gwilym, 'Synnwn i ddim na fydd yr un peth wedi digwydd i Herbert'—un arall o'n cenhedlaeth ni. Wrth i ni gyrraedd drws y capel, roedd o'n croesi'r ffordd i'n cyfarfod. Dyma ofyn yr un cwestiwn iddo yntau. Roedd yr un profiad wedi digwydd iddo yntau.

Er bod y Gynhadledd wedi dod i ben nos Wener, roedd fy nghydletywr a minnau, am ryw reswm, yn aros ymlaen hyd fore Sadwrn. Yn ystod y nos cefais fy neffro—am ychydig eiliadau'n unig—yr un fath yn union â'r noson cynt. Ond y tro hwn roeddwn i mewn diwygiad. A'r cyfan wnes i oedd yngan y geiriau, 'Mae O wedi dod.' Ac mi gysgais yn sownd.

Dyma ni, bellach, ym mlynyddoedd olaf y nawdegau. Dydw i ddim yn siŵr faint o bwysau y dylwn i fy hunan ei roi ar y digwyddiad. Yn sicr, dydw i ddim yn gofyn i chi roi dim pwysau arno. Rhywbeth i mi oedd o. Ond mae gen i reswm dros rannu'r hanes. Yn gam neu'n gymwys, bu'n gymorth i mi trwy'r blynyddoedd i ddal i obeithio am ddyddiau gwell; fel petai'r Brenin Mawr yn fy rhybuddio bryd hynny fod yr Un drwg yn mynd i gael llawer iawn o'i ffordd yn gyntaf, ond y byddai'r hyn yr hiraethem amdano yn dilyn.

Mae'r cyfnod o aros wedi bod yn hir iawn ac, ar lawer cyfrif, yn anodd. Fynnwn i ddim chwaith i neb sy'n iau deimlo gronyn o dosturi tuag at rai ohonom ni sy'n hŷn. Er na chafodd ein gobeithion pennaf eu sylweddoli, gallaf eich sicrhau ei bod wedi bod yn ardderchog byw yn y gobaith, a chael bod yng nghwmni gweinidogion ac eraill yn cyd-ddeisyfu. Mae'r hiraethu wedi bod yn fendith ynddo'i hun.

Ar wahân i hynny, fe allwn ni sy'n hŷn bellach ddweud yn gwbl onest yr hyn a ddywedodd Dr Martyn Lloyd-Jones, pan ofynnais iddo a fyddai'n siomedig pe byddai farw heb weld y breuddwyd a gafodd yn gynnar yn ei weinidogaeth—llawr Capel Westminster ym merw diwygiad—heb ei gyflawni. 'Na fyddaf, ddim o gwbl,' meddai. 'Fe fydda i erbyn hynny mewn lle llawer gwell nag unrhyw ddiwygiad.'

Cydiwch yn y dorch

Y rheswm pam y teimlais reidrwydd i rannu'r pethau yma hefo chi ydi hyn: er mwyn cael gofyn i chi'r bobl ifanc, ddowch chi atom i godi'r dorch a'i chodi'n uwch, fel pan fydd yna eraill o'm cenhedlaeth i yn cael eu galw adre y byddwch chi'n dal y dorch o flaen pobl Dduw—yn arbennig felly yn y Gymru Gymraeg—torch disgwyl a gobeithio y cewch chi weld, os na chawsom ni, yr Arglwydd Iesu Grist yn dod unwaith eto yn ei nerth, a'i wobr o'i flaen. Fe'i cewch ar ei orau yn emyn Pantycelyn:

Rwy'n chwennych gweld ei degwch Ef,
  Sy uwch popeth is y rhod,
Na welodd lluoedd nefoedd bur
  Gyffelyb iddo 'rioed.

Efe yw ffynnon fawr pob dawn,
  Gwraidd holl ogoniant dyn;
A rhyw drysorau fel y môr
  A guddiwyd ynddo'i Hun.

Rwyf innau'n brefu am gael praw'
  O'r maith bleserau sy
Yn cael eu hyfed, heb ddim trai,
  Gan yr angylion fry.

Fe'm ganwyd i lawenydd uwch
  Nag sy 'mhleserau'r llawr,
I gariad dwyfol, gwleddoedd pur
  Angylion nefoedd fawr.

O! pam na chaf fi ddechrau nawr
Fy nefoedd yn y byd,
A threulio 'mywyd mewn mwynhad
O'th gariad gwerthfawr drud?

O! na welai Duw yn dda drugarhau unwaith eto: nid er mwyn ein gwneud ni'n hapus (er na chawn byth brofi hapusrwydd mwy nag a brofwn bryd hynny); nid er mwyn ein gwneud i chwerthin chwaith, fel y myn rhai (er y profwn lawenydd bryd hynny na fyddwn prin yn medru ei gynnal). Pethau eilradd yw'r pethau yna i gyd. Er mwyn, yn hytrach, i ni fod ar dân dros Iesu Grist: er mwyn i ni efengylu. *Pan ddigwydd, fedrwch chi ddim ymatal rhag dweud am Iesu Grist a bod eisiau ennill eraill ato.*

Ydi hyn yn golygu y gallwn beidio â phoeni am dystiolaethu ac efengylu yn y cyfamser? *Nac ydi, yn bendifaddau.* Un o'r pethau cyntaf a wnaeth Iesu Grist wedi rhoi'r proffwydoliaethau y buom yn eu trafod (yn Math. 16, Luc 9, a Marc 9) oedd anfon allan y deg a thrigain disgybl i efengylu—ymhell cyn dyfodiad yr Ysbryd Glân mewn grym ar ddydd y Pentecost. Dewisodd wneud hynny dros gyfnodau hir yn hanes Cristnogaeth mewn llawer gwlad—dros gyfnod oes rhai ohonom ni yng Nghymru, yr hanner can mlynedd diwethaf. Dydi hi ddim yn hawdd dal ati mewn cyfnodau felly. Ond dal ati sydd raid. Ac fe allwn gymryd cysur mewn dyddiau felly bod gennym Un cryf o'n plaid: 'Yr ydwyf fi gyda chwi bob amser hyd ddiwedd y byd.'

Daliwn ati

Mae'n ddiymwad fod yr Arglwydd Iesu Grist gyda'i bobl yn wastadol a'r undeb ysbrydol sydd rhyngddo a'i ddisgyblion yn nes na'r un berthynas arall y gwyddant amdani, 'Chwithau ynof fi, a minnau ynoch chwithau' (Ioan 14:20). Mae yr un mor wir fod yr Arglwydd Iesu Grist o ddydd i ddydd yn galluogi'i ddisgyblion i ddwyn ei ffrwyth. Ond, er ymhyfrydu yn hynny, rhaid cyfaddef bod byd o wahaniaeth rhwng bod yr Ysbryd Glân yn trigo yng nghalon credinwyr a'i fod yn cael ei dywallt arnynt. Hynny sy'n digwydd mewn cyfnod o adfywiad ysbrydol.

Mae'n galondid o'r mwyaf, felly, ddeall bod yr Ysgrythur, a hanes yr Eglwys trwy'r canrifoedd, yn dysgu bod Iesu Grist yn dewis dod at ei bobl, o bryd i'w gilydd, mewn ffordd (ac i radd-au) neilltuol o agos a nerthol. *Cariad sydd wrth wraidd hynny; car-iad na wnaiff byth gyfaddawdu â phechod.* Ei fwriad wrth ddod fel hyn yw calonogi'r disgyblion a'u nerthu i genhadu trosto. Yr un pryd, trwy ddod fel hyn, fel bod llawer gyda'i gilydd yn dod dan argyhoeddiad a llawer yr un pryd yn dod i gredu, dwyn pers-wâd pellach ar ddynion i droi ato.

Rhyfeddol ras Duw! Does dim rhwymedigaeth arno i wneud hynny. Does neb byw yn haeddu iddo wneud hynny, yn eu hanes hwy nac yn hanes neb arall. Ond mae wedi digwydd trwy oesoedd cred, a hynny laweroedd o weithiau. Ac fe all ddigwydd eto. Daliwn ati i weddïo y cawn ninnau, fel ein tadau, weld 'Mab y dyn yn dyfod yn ei frenhiniaeth: teyrnas nefoedd yn dyfod mewn nerth'. Os oedd angen i'r Ysbryd Glân gael ei dywallt ar y sawl a'i profodd yn y gorffennol, yn sicr mae ei angen arnom ni.

Da chi bobl ifanc, peidiwch â chymryd y llwyfan i gyd i chi eich hunain a meddwl mai chi sy'n bwysig. Duw sydd yn bwysig. Fe dreuliodd Iesu Grist ei oes ar y ddaear i un diben yn unig, i ogoneddu enw ei Dad. 'Mi a'th ogoneddais di ar y ddaear.' Rhaid i ninnau wneud yn debyg. Dowch atom, cydiwch yn y dorch. A gobeithio, trwy ras Duw, y cawn ninnau sy'n hŷn y nerth i ddal ein gafael ynddi hefo chi, a'i dyrchafu hyd y diwedd.

12
Gair i gloi

Roedd hi'n Sasiwn hefo'r Methodistiaid Calfinaidd yn Llangeitho, Awst 3 a 4, 1859. Gan fod rhwng 15,000 a 18,000 o bobl yn bresennol, penderfynwyd cynnal y cyfarfod gweddi fore Iau—dydd mawr yr ŵyl—yn yr awyr agored am chwech o'r gloch y bore, i flaenori'r gwasanaeth ordeinio am wyth. Yn ei ddyddlyfr meddai Dafydd Morgan am y bore hwnnw, 'Dyna y cyfarfod gweddi lluosocaf y bûm ynddo erioed, a'r un rhyfeddaf. Nid oedd yno neb â'i rudd yn sych ar adegau, a channoedd yn gweiddi allan ac yn canmol y Ceidwad mawr. Bu y deunaw mil â'u pennau i lawr a'u hwynebau tua'r ddaear am oddeutu dwy funud trwy geisio ganddynt weddïo yn ddirgelaidd. Dyna yr olwg ryfeddaf a welais ar dorf erioed; ac ynglŷn â hyn torrodd un o'r brodyr allan i weddïo yn gyhoeddus, a'r nefoedd yn tywallt ei bendithion ar y gynulleidfa mewn rhyw fodd rhyfeddol.'

Yna mae J. J. Morgan, awdur y gyfrol *Dafydd Morgan a Diwygiad '59*, yn mynd rhagddo â'r hanes: 'Ar ddiwedd y cyfarfod gweddi, rhoddodd y Parch. Robert Roberts anerchiad trawiadol dros ben wrth gyhoeddi. "Y mae yma gannoedd ohonoch," meddai, "wedi dyfod o Sir Forgannwg a lleoedd pellennig eraill i weled Llangeitho. Lle bychan yw Llangeitho, ond nid anenwog yng Nghymru . . . Fe gefais i freuddwyd rhyfedd dair wythnos yn ôl. Fe freuddwydais fy mod wedi mynd i'r nefoedd i ddeisyf am gynrychiolydd oddi yno i'r Sasiwn. Daeth ataf ŵr a choron emog ar ei ben gan ofyn, "O ba le y daethost?" "O Langeitho." "O Langeitho! Yn Llangeitho y cefais i y goron a'r perlau yma." Gwelais ar unwaith mai Daniel Rowland ydoedd a dywedais wrtho fod Cymanfa yn Llangeitho ymhen tair wythnos, a bod arnom awydd mawr cael cennad o'r nefoedd yno. Tynnodd

Rowland y goron oddi ar ei ben a thaflodd hi wrth draed y Brenin gan fynegi neges y gŵr o Langeitho. "Dywed wrtho," medd y Brenin, *"na ddanfona i neb, fe fyddaf Fi yno fy hunan."'* Meddai J. J. Morgan, 'Hawdd dychmygu fel y cyniweiriai y brawddegau hyn megis mellt gan beri i'r dorf fflamio gan fawl' (tt. 181–182).

Estyn y gwahoddiad

Y mae un peth yn sicr, os daw yr Arglwydd Iesu Grist i'n plith unwaith eto mewn nerth, at y sawl fydd â'u bryd ar efengylu y daw. Os darllenwn hanes Diwygiadau a Diwygwyr trwy'r canrifoedd, fe welwn yn fuan iawn mai pobl oedden nhw oedd â baich dros eneidiau—yn dyheu am weld rhai'n dod i'r Deyrnas a Duw yn cael ei ogoneddu yn achubiaeth eneidiau.

Rwy'n digwydd adnabod yn bur dda ŵr ifanc a wnaeth beth hardd iawn ychydig ddyddiau cyn ei briodas. Fe roes amlen i'w ddarpar wraig gyda'r rhybudd nad oedd hi i'w hagor nes ei bod ar fin gadael y tŷ ar ei ffordd i'r gwasanaeth, fore'u priodas. Yng nghanol ei gofalon y bore hwnnw bu bron iddi anghofio'r amlen. Ond, ar y funud olaf, fe gofiodd; a dyma'i hagor.

Heb ofyn caniatâd ei ddarpar rieni-yng-nghyfraith, roedd y priodfab wedi defnyddio cerdyn y teulu i wahodd gwesteion i'r briodas ac wedi rhoi enw Iesu Grist lle roedd enw'r gwahoddedig i fod, fel ei fod yn darllen: 'mae hwn-a-hwn a hon-a-hon yn gwahodd yr Arglwydd Iesu Grist i'r briodas a gynhelir yn y fan a'r fan' ar y dyddiad arbennig. Gweithred hardd dros ben: y ddau wedi eu rhoi eu hunain i ddilyn Iesu Grist ers blynyddoedd lawer a'r priodfab wedi gofalu y câi'r briodasferch, yng nghanol y rhialtwch a'r chwilfrydedd i gyd, ei hatgoffa y bore hwnnw beth oedd dymuniad pennaf eu calonnau.

Os oedd hynny'n beth hardd—ac yr oedd—y mae ei harddach: cael estyn gwahoddiad yr Arglwydd Iesu Grist ei hun i Deyrnas Dduw ac i briodaswledd yr Oen! Does dim rhaid wrth ganiatâd i ddefnyddio'r cerdyn. Mae wedi ei roi i ni'n barod: 'Ewch i'r holl fyd a phregethwch yr efengyl i bob creadur' (Marc

16:15). 'Ewch gan hynny i'r croesffyrdd, a chynifer ag a gaffoch, gwahoddwch i'r briodas' (Math. 22:9). 'Os myn *neb* ddyfod ar fy ôl i . . .' (Math. 16:24). 'Deuwch ataf fi *bawb* sydd yn flinderog ac yn llwythog' (Math. 11:28).

Er nad oes raid cael caniatâd i ddefnyddio'r cerdyn, mae'n eithriadol bwysig, yn gyntaf, ein bod wrth ei ddefnyddio yn gwneud yn berffaith glir i'r sawl a wahoddwn, *ar ran pwy yr estynnwn y gwahoddiad,* gwledd pwy ydyw, a beth yw'r amodau. Er enghraifft, fe fyddai'n anffodus iawn pe bai'r sawl sy'n estyn y gwahoddiad yn rhoi'r argraff fod yr Arglwydd Iesu Grist yn dod at ddyn gan hawlio'i wasanaeth a dyna'i gyd—er y buasai ganddo berffaith hawl i wneud hynny. Na, mae'n seilio ei obaith y bydd iddynt dderbyn ei wahoddiad ar ei Berson a'i waith a'i addewidion. Ac y mae hynny'n golygu bod yn rhaid i'r sawl sy'n rhannu'r gwahoddiadau egluro pwy ydyw a beth yw'r gwaith a wnaeth yn barod, ac a wnaiff eto, dros ddeiliaid ei deyrnas. Mewn gair, fe fydd yn gofyn am dystiolaethu a phregethu—am gyhoeddi'r gwirioneddau hyn, heb flewyn ar dafod, fel y bydd dynion yn edifarhau am eu hafradlonedd ac yn prisio'r fraint a estynnir iddynt.

Yn ail, er bod yr amodau'n dod gyntaf (yn nysgeidiaeth Iesu Grist) ac yn cael eu mynegi mewn gwahanol ffyrdd er mwyn gwneud eu hystyr yn berffaith glir a dealladwy (ymwadu â'r hunan, codi'r groes, colli einioes) a'r rheswm pam y dylent ymateb yn gadarnhaol (o'm plegid i a'r efengyl) yn dod yn ail, ac yn ymddangos o'r herwydd fel pe baent yn llai pwysig, *rhaid eu cyflwyno'n gyfochrog â'i gilydd.* Mae'r naill mor bwysig â'r llall os ydym am gynrychioli'r sawl a drefnodd y wledd yn gywir—'yr edifeirwch sydd tuag at Dduw a'r ffydd sydd tuag ein Harglwydd Iesu Grist', chwedl yr apostol (Actau 20:21).

Yn drydydd, wedi dweud hynny, mae'n eithriadol bwysig ein bod yn cydnabod bod y ffaith ddarfod i Iesu Grist ddyblu a threblu geiriad yr amodau *yn arwyddocaol iawn.* Yr anghymwynas bennaf y gallwn ei gwneud â dynion (a'r fradwriaeth fwyaf o'n Harglwydd) fyddai i ni newid yr amodau a gostwng gofynion

Duw. Does dim hanesyn mwy gwrthun yn y Testament Newydd na hanes ymddygiad y gŵr a ddaeth i mewn i'r wledd heb y wisg briodas. Yr arfer mewn priodasau brenhinol yn y Dwyrain bryd hynny oedd fod y Brenin yn gofalu am wisgoedd ar gyfer y gwahoddedigion fuasai'n deilwng o'r achlysur. Er hynny, ac er ei bod yn briodas Mab y Brenin a hwythau ond newydd eu casglu o'r priffyrdd a'r caeau, gwrthododd y gŵr y wisg a ddarparwyd ar ei gyfer, gan fynnu ymddangos yn ei wisg ei hun! *Darlun perffaith o'r rhai hynny sy'n bwriadu ymddangos ym mhriodaswledd Mab Duw yn y wisg y maent hwy yn tybied y gwnaiff y tro.*

Y Wisg Briodas

Mae'r Brenin Mawr wedi dewis y wisg fydd yn briodol i briodaswledd ei Fab ac wedi ei thrwsio'n barod. Beth yw'r wisg, felly? Cymeriadau anghyfiawn a phechadurus yn cael eu gwisgo â chyfiawnder bywyd Iesu Grist pan oedd yma ar y ddaear yn byw ac yn marw ar ran y sawl a ddeuai i gredu ynddo, ynghyd â'r un cyfiawnder yn cael ei weithio i mewn i gyfansoddiad y cyfryw trwy fewnbreswyliad Iesu Grist yn eu calonnau.

Dyna pam ei bod mor bwysig fod y sawl sy'n rhannu'r gwahoddiadau yn egluro bod yn rhaid i'r gwahoddedigion 'ymwadu â nhw eu hunain, colli eu heinioes, codi'r groes, casáu eu heinioes eu hunain' a'u rhoi eu hunain yn gyfan gwbl i wneud ewyllys Duw. Ar gyfer y cyfryw yn unig, y rhai fydd yn gweld eu hangen amdani, y mae'r wisg yn barod. I ddefnyddio iaith y Testament Newydd, cânt 'wisgo amdanynt yr Arglwydd Iesu Grist' (Rhuf. 13:14; Gal. 3:27). Neu, yng ngeiriau cyfarwydd Roger Edwards o'r Wyddgrug, cânt eu harwisgo 'â'i gyfiawnder yn hardd gerbron y Tad a derbyn o'i gyflawnder wrth deithio'r anial wlad'. Gwae ni, felly, fethu—neu beidio—ag egluro'r amodau, gan fod yn ffyddlon i Dduw ac i ddyn, wrth efengylu. Mae capeli Cymru'n wag heddiw am fod llaweroedd oedd yn ddisgyblion honedig i Iesu Grist wedi bod yn euog o newid neu ostwng y telerau—a hynny ers degau o flynyddoedd.

Ein cyfrifoldeb yw estyn y gwahoddiad i'r Deyrnas i bawb, a gwneud hynny hyd y gallwn yn yr un ysbryd ag yr oedd Iesu Grist yn ei wneud. Nid mater o ddewis mohono. Rydym dan orchymyn i wneud hynny. A'n cysur pennaf yw hwn: wyddom ni ddim yng nghalonnau pwy y bydd Ysbryd Duw yn gweithio er eu hiachawdwriaeth. Fel Iesu Grist ei hun ar adegau felly, ein braint ninnau fydd cael cydweithio â Duw yn y gwaith y bydd Efe yn ei wneud ar galonnau pechaduriaid i'w dwyn a'u rhoi i'w Fab. Yn y Gymru gyfoes, dyna'r dasg a osodwyd o'n blaen. A mawr yw ein braint.

Atodiad 1

'Yr hwn a ddêl'

Disgrifiad Hugh Jones o bregeth William Roberts, Amlwch

'Nid yw bod Duw,' dywedai, 'yn rhoi pechaduriaid i Grist—yn rhoi iddo nes i'r rhai hynny ddyfod ato—yn ddigalondid i neb feddwl dyfod at yr Iesu. Os wyt yn rhyw feddwl am ddyfod, tyred yn awr, tyred fel yr wyt, ac yr wyf yn sicr y cei groeso, "Yr hwn a ddêl ataf fi, nis bwriaf ef allan ddim." Yr hyn yr oedd yr Arglwydd Iesu yn ymgalonogi ynddo, ni ddylai hynny fod yn ddigalondid i ni. Dylai clywed am y Tad yn rhoddi pechaduriaid i'r Ceidwad, gymell pechaduriaid i roddi eu hunain i'r un Gŵr.

'"*Nid hoff gennyf fi,*" medd rhywun, "*glywed am yr etholedigaeth yna.*" Wel, cofia mai etholedigaeth gras ydyw. "*Y mae hi ar fy ffordd i.*" Nac ydyw, oblegid y mae yma eithaf rhyddid i ti ddyfod ymlaen. "*Yr ydych yn sôn am y Tad yn tynnu at Grist; ac yr wyf yn gweled yr athrawiaeth yna yn rhwystro i bechadur wneud ymdrech i ddyfod ato.*" Wel, os wyt ti'n meddwl y gelli di ddyfod at Grist heb dy dynnu, tyred ynte, canys os trewi di wrth Iesu Grist rywsut, ti a gei dy fywyd byth. "*Peidiwch dywedyd fy mod yn wan, a heb allu i ddyfod.*" Dangos dy gryfder, ynte, drwy ddyfod ohonot dy hun. "*A ydych chwi yn dywedyd, pe deuwn i fy hunan at Grist, y derbynnid fi?*" Gwneid, pe deuit. Pe cyrhaeddit ti felly at Grist, nid wyf yn meddwl y gofynnid i ti, Pa fodd y cychwynnaist i ddechrau?

'Y mae Duw yn gweled y fath fri mewn dyfod at ei Fab—y mae ei feddwl yn ymfodloni y fath mewn gweled pechadur yn gosod holl bwys ei obaith i grogi arno ef, nes na ddichon ef byth ddiystyru neb sydd yn rhoddi ei ymddiried ar gyfiawnder ac ar nerth Crist, pa sut bynnag y cynhyrfwyd yr enaid i wneud hynny. Os gelli ddyfod ato dy hunan, mwyaf oll yw dy euog-rwydd yn aros hebddo. Os gelli ddyfod dy hunan, tyred. Ond amdanaf fi sydd, fel llawer o'm brodyr, yn teimlo gwendid ac annhueddrwydd y galon ddrwg, y mae yn dda iawn gennyf gael rhyddid i weddïo, "Tyn fi, Arglwydd." Pa fodd bynnag, gyda'm golwg ar athrawiaeth y testun, yr wyf yn hyf i alw ar fy holl wrandawyr, Dowch at Grist fel yr ydych. *"Pe buaswn yn gwybod fy mod wedi fy ethol, mi a ddeuwn."* Tyrd heb wybod, ac fe'th dder-bynnir felly.

'Dyfod at Grist yw y cwbl i ni. Na phryderwch ynghylch y sut i ddyfod. Deuwch, deuwch, deuwch yn awr—deuwch rywfodd; ymwthiwch drwy bob tyrfa nes gallu ohonoch yn unig gyffwrdd ag ymyl ei wisg ef, ac fe ddaw rhinwedd iachawdwriaeth oddi wrtho i'ch eneidiau. "Yr hwn a ddêl ataf fi, nis bwriaf ef allan ddim." Ni waeth yn y byd pwy a fyddo, "Yr hwn a ddêl." Beth os ydyw efe wedi oedi er ei alw er ys tros ddeugain neu hanner can mlynedd? Os daw efe heddiw, "nis bwriaf ef allan ddim."

'Treia ef, bechadur. Cymer afael yn ei gymhelliad ef ei hun a dos ato, a dadlau hwnnw ger ei fron. Treia ef, pe bait ti yn sicr mai dy wrthod a wnâi; fe fydd yn rhywbeth i ti os gelli di ddyw-edyd yn ei wyneb ddydd y cyfrif ei fod ef ei hun wedi dy wrthod di. Ond ni wna. Iesu yn bwrw allan bechadur a ddaeth ato am ei fywyd! Na, ni wna, ac ni all wneuthur hynny. Yn lle ei fwrw allan, fe ymddyga ato fel cannwyll llygad—fe ymddigrifa ynddo fel ei drysor hoffaf.'

Hugh Jones, Amlwch,
Cofiant y Parch. W. Roberts, Amlwch
(Llannerch-y-medd, 1869), tt.268-9.

Atodiad 2

Efe a gymer o'r eiddof

Ym mhennod deg ('Y ddau "ddod"') cyfeiriwyd at yr adnodau yn yr unfed bennod ar bymtheg yn Efengyl Ioan sy'n disgrifio gwaith yr Ysbryd Glân 'pan ddelai' yn argyhoeddi dynion o bechod, o gyfiawnder ac o farn. Mewn ôl-nodiad, cyfaddefwyd bod yr anhawster canlynol yn codi. 'Ymhle, yn ei ddisgrifiad . . . o'r hyn a fyddai'n digwydd pan fyddai'n tywallt ei Lân Ysbryd ar ei ddisgyblion, y mae cyfeiriad at waith yr Ysbryd Glân yn dwyn dynion i mewn i'r Deyrnas? Ai argyhoeddi'r byd o bechod, o gyfiawnder ac o farn yn unig—ynghyd â chyfoethogi profiadau'r disgyblion—a wnâi'r Ysbryd Glân "pan ddeuai"'?

Carem awgrymu y *gallasai* Iesu Grist fod yn cyfeirio at y wedd honno i weinidogaeth yr Ysbryd Glân, yn adnodau 14–15 o'r un bennod, yn y geiriau: 'Efe a'm gogonedda i, canys efe a gymer o'r eiddof ac a'i mynega i chwi. Yr holl bethau sydd eiddo'r Tad ydynt eiddof fi. Oherwydd hyn y dywedais mai o'r eiddof fi y cymer, ac y mynega i chwi.'

Cyn y gallwn wneud cyfiawnder â'r geiriau hyn, fodd bynnag, rhaid yn gyntaf eu gosod yn eu cyd-destun yn y bennod. Gan mai cysuro'i ddisgyblion oedd bwriad pennaf Iesu Grist y noswaith honno, a chan ei fod newydd eu hysbysu y byddai erledigaeth a gwrthwynebiad chwyrn yn eu haros, ar ddechrau'r bennod mae'n disgrifio'n fanwl y gwaith y byddai'r Ysbryd Glân 'pan ddeuai' yn ei wneud yn y byd—hynny yw, y tu allan i gylch y credinwyr: 'Efe a argyhoedda'r byd o bechod, o gyfiawnder ac o farn . . .' (Ioan 16:8). Helaethiad oedd hyn o'r cyhoeddiad blaenorol, 'Efe a dystiolaetha amdanaf fi' (Ioan 15:26b).

Yna'n ail, disgrifia'r fendith a ddygai'r Ysbryd Glân bryd hynny i fywydau'r disgyblion eu hunain: 'Pan ddêl efe, sef

Ysbryd y gwirionedd, efe a'ch tywys chwi i'r holl wirionedd; canys ni lefara ohono'i hun, ond pa bethau bynnag a glywo a lefara efe; a'r pethau sydd i ddyfod a fynega efe i chwi' (Ioan 16:13).

Yna'n drydydd, unwaith eto mewn perthynas â'i ddisgyblion, ychwanegodd addewid a allasai, yn ôl ein hawgrym uchod, gynnwys cyfeiriad at waith yr Ysbryd Glân yn aileni dynion i fywyd newydd: 'Efe a'm gogonedda i' (sylwer, nid 'efe a dystiolaetha amdanaf fi', y tro hwn, 'efe a'm gogonedda i'), 'canys efe a gymer o'r eiddof ac a'i mynega i chwi' (Ioan 16:14). I wneud cyfiawnder â'r posibilrwydd hwnnw, fodd bynnag, rhaid fydd ystyried y geiriau hyn nid yn unig yng nghyd-destun y bennod ond yn nghyd-destun y bennod ganlynol yn ogystal, gan barchu'r egwyddor fawr mai'r esboniad gorau ar yr Ysgrythur bob amser yw'r Ysgrythur ei hun.

Ailystyried

Gan fod Iesu Grist yn ychwanegu yn adnod 15, 'Yr holl bethau sydd eiddo'r Tad ydynt eiddof fi', fe fyddai'n naturiol i ni gasglu ei fod yn dysgu yn adnod 14 ('Efe a'm gogonedda i, canys efe a gymer o'r eiddof ac a'i mynega i chwi') fod yr Ysbryd Glân 'pan ddeuai' yn mynd i wneud arddangosfa o'r 'holl bethau' a roes y Tad iddo—a bod cyfanswm y 'pethau' hynny'n helaeth iawn, mor helaeth â'r holl bethau a oedd yn eiddo i'r Tad—*heb un ymgais i'w diffinio ymhellach.*

Fe fuasai'n ddigon naturiol i'r disgyblion gymryd mai felly roedd deall ei eiriau. Onid oeddent wedi ei glywed yn dweud bod popeth wedi ei roddi iddo ef? 'Pob peth a roddwyd i mi gan fy Nhad' (Math. 11:27). Meddai Ioan Fedyddiwr amdano: 'Y mae'r Tad yn caru y Mab, ac efe a roddodd bob peth yn ei law ef' (Ioan 3:35). At y gosodiadau rhyfeddol yna, ychwanegir yn y fan hyn, meddir, y gwirionedd y byddai'r Ysbryd Glân yn cymryd o'r 'holl bethau' hynny ac yn eu datguddio'n uniongyrchol iddynt hwy.

Pan glywodd y disgyblion Iesu Grist, fodd bynnag, ychydig yn ddiweddarach, (1) yn defnyddio'r un ymadroddion yn union ar weddi i'w Dad *i'w disgrifio hwy* ac nid ei eiddo'n gyffredinol, (2) yn gofyn i'w Dad hefyd ei 'ogoneddu' (yr un term) gan egluro pa ogoniant oedd ganddo mewn golwg, sef y gogoniant a roes y Tad iddo a oedd ganddo gyda'i Dad 'cyn bod y byd', ac yna'n mynd rhagddo ymhellach i esbonio beth oedd yn oblygedig mewn iddo gael ei ogoneddu â'r gogoniant hwnnw, gallasent yn hawdd fod wedi ailystyried.

Gadewch i ninnau roi sylw gofalus i'r ystyriaethau hyn yn eu tro.

O'r eiddof fi

1. ***Y gyfatebiaeth eiriol.*** Meddai Iesu Grist yn yr adnodau yr ŷm ni yn eu hystyried yn Ioan 16, am waith yr Ysbryd Glân pan ddeuai, 'Efe a'm gogonedda i, canys efe a gymer o'r eiddof ac a'i mynega i chwi. Yr holl bethau sydd eiddo'r Tad ydynt eiddof fi.' Meddai am ei ddisgyblion ar weddi ychydig yn ddiweddarach 'y rhai a roddaist i mi, canys eiddot ti ydynt. A'r eiddo fi oll sydd eiddot ti, a'r eiddot ti sydd eiddof fi; a mi a ogoneddwyd ynddynt' —y disgyblion oedd yr eiddo, a 'mi a ogoneddwyd ynddynt' (Ioan 17:9b–10) oedd y profiad! Mae'r gyfatebiaeth rhwng y gwahanol ymadroddion yn rhy glòs i ni—na neb arall—ei hanwybyddu.

Onid yw'n rhesymol ein bod o leiaf yn ystyried y posibilrwydd fod y rhai a roddes Duw iddo trwy addewid yn nhragwyddoldeb yn rhan o'r hyn oedd ym meddwl Iesu Grist bob tro y defnyddiodd yr ymadrodd 'yr eiddof fi'—a oedd hefyd yn eiddo i'r Tad—yn yr oruwchystafell? (Fe fyddai adnod 16 yn golygu wedyn fod Iesu Grist yn cynnwys y rhai a roddes Duw iddo yn nhragwyddoldeb ymhlith yr eiddo y byddai'r Ysbryd Glân yn cymryd meddiant ohonynt ac yn gogoneddu Iesu Grist yn eu golwg.) Fe fyddai'n wir dweud mai atynt hwy, ac atynt hwy yn unig, yr oedd Iesu Grist yn cyfeirio pan ddefnyddiai'r termau hyn wrth gyfarch ei Dad ar weddi.

- Yn ail adnod y weddi mae'n cyfeirio at y ffaith fod y Tad wedi rhoi iddo awdurdod dros bob cnawd fel am *'y cwbl a roddaist iddo* y rhoddai efe iddynt fywyd tragwyddol'.
- Wrth gyfeirio yn adnod chwech at y rhai a roddes y Tad iddo, nid yn nhragwyddoldeb y tro hwn ond yn nyddiau ei gnawd, mae'n ei ddatgan yn agored, 'Eiddo Ti oeddynt, a thi a'u rhoddes hwynt i mi.'
- Yn adnod naw, lle mae'n gweddïo dros y rhai a roddes y Tad iddo (yn nhragwyddoldeb), gan gynnwys yn ei weddi ei ddisgyblion yn ogystal â'r rhai a ddôi i gredu ynddo trwy eu hymadrodd hwy (adnod 20), mae'n pwysleisio unwaith eto 'canys eiddot Ti ydynt'. Yna mae'n ychwanegu gosodiad sy'n cyfateb air am air i'r geiriau yr ŷm ni'n eu hystyried yn y bennod flaenorol, gyda'r unig wahaniaeth ei fod yn pwysleisio'r tro hwn fod y berchnogaeth yn gyffredin rhwng y Tad a'r Mab. 'A'r eiddof fi oll sydd eiddot ti, a'r eiddot ti sydd eiddo fi.' (Fel y mae ei eiriau yn y deml adeg Cysegr-ŵyl yr Iddewon yn profi, roedd y berchnogaeth ddeuol yma rhyngddo ef a'i Dad yn rhan bwysig iawn o'r ffordd yr oedd Iesu Grist yn meddwl am ei bobl, 'Minnau ydwyf yn rhoddi iddynt fywyd tragwyddol, ac ni chyfrgollant byth, ac ni ddwg neb hwy allan o'm llaw i. Fy Nhad i, yr hwn a'u rhoddes i mi, sydd fwy na phawb; ac ni all neb eu dwyn hwynt allan o law fy Nhad i. Myfi a'r Tad un ydym' (Ioan 10:28–29).)

Os yw'n deg ein bod yn *ystyried* y posiblrwydd hwn, yna, o safbwynt esboniadaeth, fe allai dau beth pwysig ddilyn. Yn gyntaf, gan y byddai Iesu Grist yn cyfeirio felly (ym mhennod 16) at yr un peth yn digwydd ym mhrofiad eraill ('efe a'm gogonedda i'), ag a ddigwyddodd yn barod ym mhrofiad ei ddisgyblion ('mi a ogoneddwyd ynddynt'), fe fyddai gennym sail dros gredu mai cyfeirio yr oedd Iesu Grist yn Ioan 16 at yr Ysbryd Glân yn gwneud yr un gwaith (mewn eraill o'r sawl a roes y Tad yn eiddo iddo yn nhragwyddoldeb) ag yr oedd wedi ei wneud yn barod ym mhrofiad y disgyblion. Yn ail, ac yn fwy gwerthfawr fyth, fe allai'r ffordd y bu i Iesu Grist egluro'r ymadrodd 'mi a ogoneddwyd ynddynt' (Ioan 17:10) yn ddiweddarach yn y weddi, yn ôl rhai esbonwyr (gweler, er enghraifft, Tholuck yn ei sylwadau ar Ioan 17:10 yn ei esboniad ar Efengyl Ioan), daflu goleuni ar ystyr y gosodiad cyntaf (Ioan 16:14)—'efe a'm gogonedda i'.

Fel mae'n digwydd, mae mwyafrif mawr yr esbonwyr, cyfoes a hŷn fel ei gilydd, yn tueddu i ddweud mai ystyr yr ymadrodd 'mi a ogoneddwyd ynddynt' (Ioan 17:10) yw fod Iesu Grist yn dweud wrth ei Dad Nefol fod ei ddisgyblion wedi bod yn foddion i ddwyn gogoniant i'w enw. Cyfaddefant mai prin yw'r dystiolaeth fod hynny wedi digwydd i ddim byd tebyg i'r graddau a ddigwyddodd wedi'r Pentecost. Ond dyna'r ystyr. Mewn gwirionedd, yr hyn y mae Iesu Grist yn ei olygu, meddent, yw ei fod wedi cael ei ogoneddu *trwyddynt*.

Ond ai dyna'r ystyr mewn gwirionedd? Crybwyllwyd eisoes yr egwyddor mai'r esboniad gorau ar yr Ysgrythur yw'r Ysgrythur ei hun. Crybwyllwyd hefyd fod rhai esbonwyr cyfrifol wrth esbonio adnod 10 yn tynnu sylw at y ffaith fod Iesu Grist ei hun yn ddiweddarach yn y weddi wedi esbonio'r geiriau hyn ac y dylem o'r herwydd eu dehongli yng ngoleuni'r esboniad hwnnw. Cyfeiriant at adnodau 22–23 a hyd yn oed adnod 24. Fel hyn y mae adnod 22 a rhan o adnod 23 yn darllen.

'A'r gogoniant a roddaist i mi a roddais iddynt hwy, fel y byddont un, megis yr ydym ni yn un: *myfi ynddynt hwy, a thithau ynof fi.*'

Mae'n ymddangos yn lled amlwg fod Iesu Grist yn y geiriau hyn yn egluro beth yw'r gogoniant 'a roddes y Tad iddo' ac a roddes yntau bellach i'w ddisgyblion, sef, eu dwyn i'r berthynas o undeb ysbrydol ag ef ei hun a ddisgrifir ganddo bob amser yn y geiriau 'myfi ynddynt hwy', perthynas sy'n golygu hefyd fod y Tad yn ogystal ynddynt, gan ei fod ef a'r Tad yn un.

Onid yw'n rhesymol credu y gallasai hyn fod yn rhan o'r hyn oedd ym meddwl Iesu Grist pan ddywedodd y buasai'r Ysbryd

Glân yn ei ogoneddu trwy gymryd o'i eiddo? Fe allai'r ystyriaeth nesaf daflu llawer mwy o oleuni ar y mater.

Pa ogoniant?

2. ***Disgrifiad Iesu Grist o'r 'gogoniant' a roes y Tad iddo yn adnodau cyntaf ei weddi.*** Ar ddechrau'r weddi mae Iesu Grist yn disgrifio'r 'gogoniant' hwnnw wrth egluro beth fyddai'n ei olygu i'r Tad ei 'ogoneddu'. Mae'n bwysig sylwi yn gyntaf nad ei ogoniant fel ail berson y Drindod sanctaidd oedd ganddo mewn golwg. (Roedd y gogoniant hwnnw'n perthyn iddo eisoes.) Fel y mae ei eiriau ar ddiwedd y weddi (adnod 24) yn profi, gogoniant oedd hwn 'a roddes y Tad' iddo oherwydd ei fod yn ei garu: *'oblegid ti a'm ceraist cyn seiliad y byd'*. Dyma'i eiriau yn llawn: 'Y Tad, y rhai a roddaist i mi, yr wyf yn ewyllysio, lle yr wyf fi fod ohonynt hwythau hefyd gyda myfi, fel y gwelont *fy ngogoniant a roddaist i mi; oblegid ti a'm ceraist cyn seiliad y byd.'*

Pa ogoniant yw'r 'gogoniant' hwn felly? Yn ôl geiriau Iesu Grist ei hun (yn adnod 2) mae tair rhan iddi. Dyma'i eiriau yn llawn:

> 'Y Tad, daeth yr awr. Gogonedda dy Fab, fel y gogoneddo dy Fab dithau; *megis y rhoddaist iddo awdurdod ar bob cnawd, fel am y cwbl a roddaist iddo, y rhoddai efe iddynt fywyd tragwyddol*. A hyn yw'r bywyd tragwyddol: iddynt dy adnabod di yr unig wir Dduw, a'r hwn a anfonaist ti, Iesu Grist . . . yr awron, O Dad, gogonedda di fyfi gyda thi dy hun, â'r gogoniant oedd i mi gyda thi cyn bod y byd' (Ioan 17:1b, 2 a 5).

Yn ôl adnod 2, yn gyntaf, *rhoddwyd* iddo awdurdod dros bob cnawd. Yn ail, *rhoddodd* Duw iddo bobl a oedd i dderbyn bywyd tragwyddol o'i law. Yn drydydd *fe roes* y Tad iddo'n ogystal yr anrhydedd a'r hyfrydwch (Diarhebion 8:22–31) o roi bywyd tragwyddol i'r cyfryw. Dyna'r gogoniant a roes y Tad iddo'n 'eiddo'.

Hynny a olygai Iesu Grist felly wrth ofyn i'w Dad ei ogoneddu: ei fod yn cael ei ddychwelyd i'r fan lle y gallai weithredu'n llawn ac yn ddilyffethair ym mywydau'r sawl a roes y Tad iddo yn nhragwyddoldeb fel eu bod yn dod i'w adnabod, a bod yr adnabyddiaeth honno'n parhau i dragwyddoldeb, oherwydd ymhlyg ynddi fyddai'r berthynas gyfriniol agosaf posibl ym myd yr enaid—'myfi ynddynt hwy a hwythau ynof innau'.

Yng ngoleuni'r ymadroddion hyn, sut mae deall y gosodiad y byddai'r Ysbryd Glân yn gogoneddu Iesu Grist trwy gymryd o'i eiddo? 'Efe a'm gogonedda i, canys efe a gymer o'r eiddof.' Onid yw'n rhesymol credu mai ei ogoneddu â'r un 'gogoniant' fyddai'r Ysbryd Glân yn ei wneud pan ddelai: hynny yw, ymaflyd yn nhair elfen ei 'ogoniant', a'u rhoi mewn gweithrediad, yn ôl ei ewyllys sanctaidd ef? 'Efe a gymer o'r eiddof.' Cymryd o'r cyfan a'u dwyn ynghyd. *Rhan o gynllun gwaith yr Ysbryd Glân fel Gweithredydd mawr y Drindod sanctaidd fyddai gogoneddu Iesu Grist trwy roi mewn gweithrediad yr hyn a addawodd Duw trwy gyfamod i'w Fab.*

A ellid gwell disgrifiad o waith yr Ysbryd Glân yn aileni dynion na dweud ei fod yn derbyn yn chwannog—dyna ystyr y ferf a gyfieithir gennym 'efe a gymer'—o ddwylo'r Tad rai a fuasai trwy addewid yn eiddo i'r Mab ers tragwyddoldeb? Yna, ei fod yn agor eu llygaid i weld y gogoniant a berthyn i Iesu Grist fel eu Gwaredwr a'u Harglwydd, ac yntau wedyn, trwy ei Ysbryd, yn ei roi ei hun iddynt i aros ynddynt, a hwythau ynddo yntau, dros byth? 'Pan welodd Duw yn dda . . . i ddatguddio ei Fab ef ynof fi' (Gal. 1:15–16) oedd disgrifad yr Apostol o'r profiad hwnnw. Ni ellid ei well.

Ond nid dyna'r cyfan a ddigwyddai. 'Ac a'i mynega i chwi.'

Ac a'i mynega i chwi

Sut mae deall yr ymadrodd hwn ynteu? Yng ngoleuni'r hyn a welsom yn barod, onid dweud y mae Iesu Grist y byddai'r Ysbryd Glân, yn ogystal â'i ogoneddu trwy 'gymryd o'i eiddo', yn mynegi'r ffaith fod hynny'n digwydd i rai a fuasai'n ddisgyblion iddo'n barod ac yn gwneud hynny trwy eu gwneud hwythau yn ymwybodol o'r un 'gogoniant' ag y byddai'r newydd ailanedig yn ei weld am y tro cyntaf? Onid dyna'r union beth sy'n digwydd mewn adfywiad ysbrydol—pobl Dduw yn cael bod yn llygad-dystion o'r ffaith fod Iesu Grist yn cael ei weld yn ei ogoniant a'i adnabod gan gwmnïoedd newydd o'i blant a'i bobl, a chael rhannu'r olygfa honno â hwy?

I'r sawl sy'n adnabod Iesu Grist yn barod, does dim profiad hafal iddo. Cael eich gwneud yn ymwybodol mewn oedfa—ar ganol pregeth hwyrach—fod yr Ysbryd Glân ar waith yn troi'n brofiad byw ym mywydau rhai a fyddai'n bresennol yr hyn sy'n oblygedig ac yn addawedig yn y cyfamod a wnaeth Duw â'i Fab. *Yr Ysbryd Glân yn cymryd o'r personau a addawodd y Tad i'w Fab, a'r un pryd yn taflu pelydrau ei oleuni ar yr Hwn sydd â'r gallu ganddo i roi bywyd tragwyddol iddynt, ac yn priodi'r ddau.* Yr Ysbryd Glân trwy hynny'n gogoneddu y Mab, a'r un pryd trwy ei bresenoldeb sanctaidd yn gwneud hynny'n hysbys ac yn brofiad byw i'r saint yn ogystal.

Does dim ond rhaid i ni feddwl beth oedd teimladau'r apostolion wrth edrych ar y gynulleidfa oedd o'u blaen ar ddiwedd pregeth Pedr ar ddydd y Pentecost. Y fath gyfnewidiad wedi'r fath wrthwynebiad ychydig wythnosau ynghynt! Gwyddai Pedr yn union beth oedd yn digwydd a sut i'w cyfarwyddo ymhellach. 'Efe a'm gogonedda i, canys efe a gymer o'r eiddof ac a'i mynega i chwi.'

Fel y gwelont

Yn sicr iawn roedd Iesu Grist yn gosod pwys mawr ar fod ei ddisgyblion i gyd yn cael gweld ei ogoniant yn ystod eu bywyd ar y ddaear yn ogystal, wrth gwrs, ag yn ogoneddus lawn yn y nefoedd ryw ddydd. Dyna arwyddocâd y geiriau a ddyfynnwyd gennym yn barod, 'Y Tad, y rhai a roddaist i mi, yr wyf yn ewyllysio, lle yr wyf fi fod ohonynt hwythau hefyd gyda myfi' (Ioan 17:24); nid yn y nefoedd yn unig a olygai ond, yn unol â byrdwn mawr ei weddi, gydag ef lle roedd ef yn barod, 'yn Nuw' (adnodau 11b a 20–21), 'fel y gwelont fy ngogoniant a roddaist i mi; oblegid ti a'm ceraist cyn seiliad y byd' (adnod 24).

Ar ddiwedd yr adnod flaenorol (adnod 23) roedd Iesu Grist

newydd ddadlennu peth rhyfeddol iawn am ei Dad nefol, rhywbeth a oedd yn esbonio pam ei fod yn gweddïo ar i'r Tad ofalu eu bod yn cael bod lle roedd Ef ei hun er mwyn iddynt gael gweld ei ogoniant. Pan osododd y Tad ei gariad ar ei Fab, a rhoi pobl iddo ynghyd â'r awdurdod i roi bywyd tragwyddol i'r cyfryw, fe osododd yr un pryd ei gariad *ar y sawl a roes i'w Fab*, bryd hynny yn nhragwyddoldeb: *'a charu ohonot hwynt megis y ceraist fi.'* Nid gweithred oer, ddideimlad oedd i'r Tad roi eu henwau i'r Mab i'w hysgrifennu yn llyfr bywyd yr Oen. Fe'u gwnaeth yn eiddo iddo'i hun ac yn wrthrychau ei gariad yn gyntaf. Yng ngeiriau cyfoethog James Hughes:

Fe'n carodd cyn ein bod,
A'i briod Fab a roes,
Yn ôl amodau hen y llw,
I farw ar y groes.

Dyna paham fod Iesu Grist yn gorffen ei weddi trwy wneud datganiad rhyfeddol ynghylch ei fwriadau grasol i'r dyfodol. 'Y Tad cyfiawn, nid adnabu'r byd dydi, eithr mi a'th adnabûm, a'r rhai hyn a wybu mai tydi a'm hanfonodd i. Ac mi a hysbysais iddynt dy enw, ac a'i hysbysaf; *fel y byddo ynddynt hwy y cariad â'r hwn y ceraist fi*, a minnau ynddynt hwy' (Ioan 17:25–26). Pwy ddychmygai, o'i glywed yn gweddïo fel hyn, ei fod ar fin cael ei groeshoelio!

Rhai casgliadau

Os fel hyn y mae deall y geiriau y buom yn eu hystyried, dylai un peth fod yn glir iawn i ni. Cymryd o'r breintiau a'r anrhydeddau a roes y Tad ar y Mab a wnaiff yr Ysbryd Glân pan ddêl, a chyfleu'r wybodaeth amdanynt (yn ogystal â chyflwyno'r person ei hun) *i'r rhai a addawodd Duw i'w Fab yn nhragwyddoldeb.* Mae'n dilyn, felly, mai'r pregethu sydd ei angen arnom, heddiw fel erioed, yw'r pregethu a fydd yn llawforwyn i'r gwirioneddau hynny: pregethu a allai fod ar lwybr y fendith; pregethu y gallai'r Ysbryd Glân ei arddel oherwydd ei fod yn dyrchafu Iesu

Grist, yn egluro'r Cyfamod Gras, yn esbonio beth fu pris ein prynedigaeth i'n Gwaredwr, a beth yw natur yr iachawdwriaeth ogoneddus y trysorwyd ei hannerfynol stôr yn Iesu Grist, yng ngeiriau Pedr Fardd, 'cyn rhoddi deddf i'r môr'.

At y credinwyr y daw'r Ysbryd Glân yn gyntaf mewn cyfnod o adfywiad ysbrydol. Cânt eu gosod ar dân. Yn ail, daw'r 'byd' dan fesur o argyhoeddiad ynghylch eu cyflwr a'u tynged oni fydd iddynt edifarhau a chredu yn Iesu Grist. Yn drydydd, symudir eneidiau lawer o dywyllwch i oleuni ac o feddiant Satan at Dduw.

Yr hyn sy'n gwneud cyfnodau o adfywiad ysbrydol yn anghyffredin—ac i'w deisyfu'n fawr—yw bod y nodweddion hyn yn digwydd *gyda'i gilydd*, ac i raddau o ddwyster ac argyhoeddiad fydd yn achos syndod i bawb. Gall y dylanwadau ysbrydol barhau yn eu nerth dros gyfnod o fisoedd, onid blynyddoedd. Yna, fe fyddant yn araf dawelu, ond nid byth heb adael ar eu hôl genhedlaeth o gymeriadau duwiolfrydig a da, ac argraffiadau a fydd yn aros yn fyw yng nghof y fro, y rhanbarth, neu hyd yn oed y genedl, onid cenhedloedd eraill, am flynyddoedd i ddod.

Ysbryd byw y deffroadau,
  Disgyn yn dy nerth i lawr,
Rhwyga'r awyr â'th daranau,
  Crea'r cyffroadau mawr,
Chwyth drachefn y gwyntoedd cryfion
  Ddeffry'r meirw yn y glyn,
Dyro anadliadau bywyd
  Yn y lladdedigion hyn.

R. R. Morris

Ôl-nodiad: A fyddai'n ormod o ryfyg ar fy rhan i awgrymu pe buasai John Jones Talsarn wedi cynnwys 'y rhai a addawodd Duw i'w Fab yn nhragwyddoldeb' fel rhan o'r hyn y byddai'r Ysbryd Glân yn ei gymryd, a thrwy wneud hynny yn gogoneddu Iesu Grist yn eu golwg (fel yr awgrymir uchod y dylid gwneud), na fuasai wedi tramgwyddo John Elias i'r fath raddau yng Nghymdeithasfa'r Bala yn 1835? (Gweler t.157.)

Atodiad 3

Y galon newydd

Yr ymdaro rhwng John Jones Talsarn a John Elias yng Nghymdeithasfa'r Bala, 1835

Yn ei bregeth y tro hwn, yn y Bala, y dug Mr John Jones allan gyntaf, mewn cylch mor gyhoeddus, ac yng nghlyw holl wŷr blaenaf y Cyfundeb, y syniadau neilltuol, ag oeddent bellach ers blynyddoedd yn ymwthio i'w feddwl, ac oeddent, erbyn hyn, wedi ei feddiannu yn gwbl. Dyma'r pryd y gwnaeth y defnydd cyntaf o'r gymhariaeth, a arferwyd ganddo laweroedd o weithiau ar ôl hynny, am y gorchymyn yn cael ei roddi gan y llywodraeth i'r *Admiral* ddyfod â'r rhan o'r llynges oedd dan ei ofal, o ryw le ym Môr y Canoldir, adref yn ddioed i Loegr.

'A oes rhai ohonoch yn dychmygu fod y llywodraeth, yn y fath orchymyn, yn meddwl am i'r *Admiral*, neu yr *Admiral* â'i wŷr, wneud baich o'r llongau a'u cario ar eu cefnau adref i Loegr? Dim o'r fath beth. Chwi a wyddoch yn dda, o leiaf fe ŵyr cynifer ohonoch ag sydd yn gwybod dim am y môr ac am longau, mai amcan y llywodraeth fyddai, iddo ef wneud y paratoadau angenrheidiol a defnyddio y moddion priodol tuag at gael y llongau adref: codi'r angorion; cyfeirio'r llongau i'r dwfn a thua'r cartref; codi a lledu'r hwyliau i'r gwynt, yn gulach neu yn lletach yn ôl fel y byddo nerth yr awel; llywio'r holl longau yn briodol; a gadael i'r gwynt eu gyrru ac i'r hen fôr eu cludo hwynt i Loegr, heb nesaf peth o ddim o drafferth iddo ef a'i wŷr. Caiff y bechgyn ganu yn hyfryd a mwynhau eu hunain yn ddedwydd yn y llongau, tra bydd yr elfennau yn gwneud y gwaith yn gwbl ddiboen a dirwgnach. Felly, 'mhobl i, y mae'r Arglwydd yn yr efengyl yn galw arnoch chwithau i edifarhau ac i gredu ac i fyw yn dduwiol. Nid yw yn disgwyl nac yn meddwl am i chwi wneuthur hynny yn eich nerth eich hunain. Na: yr hyn y mae yn ei ddisgwyl yw, ar i chwi eich gosod eich hunain yn y modd mwyaf manteisiol i weithrediad nerthoedd anfeidrol ei natur ef ei hunan i'ch cynorthwyo; ymarfer yn ffyddlon ac yn gydwybodol â'r moddion a drefnwyd ganddo ef, gyda llawn sicrwydd o'i fendith ef ar y fath ymarferiad, er eich dwyn i feddiant o fywyd tragwyddol. Gwthia dy lestr fechan ar fôr mawr haeddiant y Gwaredwr; cyfod hwyl fawr gweddi ddirgel; lleda hwyl myfyrdod sanctaidd; llywia yn deg wrth *gwmpas* gair y gwirionedd; a disgwyl yn ffyddiog am yr awelon nefol—dylanwadau grymus Ysbryd y gras—i lanw'r hwyliau; a thi a gei dy hunan, yn ddi-siom, ryw ddiwrnod yn yr hafan ddymunol . . .'

Yr oedd golwg ryfedd ar Mr Ebenezer Richard yn gwrando. Yr oedd yn wylo fel plentyn; y dagrau mawr gloywon yn rhedeg dros ei ruddiau; a'i *'Amen'* cynnes yn ychwanegu at dynerwch pawb o'i amgylch. Ond yr oedd amryw o'r hen gyfeillion yn edrych yn dra synedig, ac fel pe na buasent yn gwybod yn iawn pa beth i'w feddwl o'i athrawiaeth; a rhai ohonynt yn methu peidio dangos arwyddion amlwg o anghymeradwyaeth. Yr ydym yn cofio yn dda fod Mr Elias felly, yn arbennig, ar rai rhannau o'r bregeth . . .

Yng nghyfarfod y pregethwyr a'r blaenoriaid am wyth o'r gloch bore drannoeth, yr oeddid yn ymddiddan am *'Waith achubol yr Ysbryd Glân ar galonnau pechaduriaid'*. Gwnaed llawer o sylwadau rhagorol, ar ei waith yn argyhoeddi; yn aileni; yn gogoneddu Crist; ac ar yr agweddau a ddylent fod arnom ninnau wrth weddïo amdano. Rywbryd, yn ystod yr ymddiddan hwnnw, fe wnaeth Mr John Jones y sylw fod yr Ysbryd yn gogoneddu Crist trwy gymryd o'i eiddo ef a'i fynegi i bechaduriaid; a bod hynny yn golygu, ac yn cynnwys, fod rhyw oleuni ar y pethau am Grist yn cael ei ollwng gan Ysbryd Duw i feddwl y pechadur, yng nghymdeithas ei feddwl ef â'r pethau, ac mai effaith y goleuni hwnnw oedd ei ddwyn i fawrygu Crist, i ymddiried ynddo, ac i'w gymryd yn Geidwad iddo'i hunan.

'Y mae yn rhaid i ni olygu,' meddai, 'yng nghanol yr holl ddirgelwch sydd ar y *modd* y mae Ysbryd Duw yn gweithredu, ei fod yn gwneud hynny yn gyson â deddfau naturiol meddwl y creadur y mae yn gweithredu arno; a thra y mae'r gwaith mewn gwirionedd yn oruwchnaturiol nad ydyw mewn un modd i'w ystyried yn wyrthiol. Yn awr, yr ydym ni yn gwybod, pan fydd arnom ni eisiau newid teimlad rhywun, tuag at unrhyw beth, mai yr unig ffordd sydd gennym i hynny, ydyw ceisio newid ei feddwl amdano—cyflwyno'r gwrthrych mewn rhyw wedd ger ei fron a dueddo i beri iddo synio yn wahanol amdano. Yr un modd, fe ellid meddwl, y mae Ysbryd Duw yn gweithredu er cyfnewid pechadur a'i ddwyn i feddwl yn fawr am Iesu Grist: y mae yn ymwneud â'r dyn, trwy ollwng digon o oleuni newydd i mewn iddo ar y pethau ac ar y gwrthrychau y mae yn angenrheidiol cyfnewid ansawdd ei galon tuag atynt; ac yn a thrwy y goleuni hwnnw yn effeithio'r cyfnewidiad arno. Y mae gan Ysbryd Duw ddigon o ymddiried yn y pethau, y bydd i'r pechadur, ond eu hadnabod yn briodol, ddyfod i deimlo ac i ymddwyn yn briodol tuag atynt. Y mae e yn deall fod cymaint o ddrwg mewn pechod, nad oes eisiau i'r dyn ond ei adnabod yn iawn, er dyfod i'w gasáu â chasineb perffaith; cymaint o berygl yn y cyflwr drwg, nad oes eisiau ond ei weled, er cynhyrchu pryder trwy'r holl enaid am gael gwaredigaeth ohono; cymaint o addasrwydd a gwerth a gogoniant ym Mab Duw fel Gwaredwr, fel nad oes eisiau ond cael golwg arno, er sugno'r galon ar ei ôl, ac ennill y meddwl i ymddiried ynddo . . .

'Y mae'r diafol yn dra gwahanol. Y mae o yn deall yn dda na ddeil ei nwyddau ef ddim goleuni, ac mai ei unig obaith ef i ddwyn ymlaen ei fasnach ydyw'r tywyllwch; ac, am hynny, y mae'n casáu y goleuni, ac â'i holl egni yn ceisio "dallu meddyliau y rhai di-gred, fel na thywynno iddynt lewyrch efengyl gogoniant Crist, yr hwn yw delw Duw". A hwyrach,' meddai, 'fod gradd o berygl rhag i ninnau, yn ein gweinidogaeth, lithro i wasanaethu, yn gwbl ddifwriad, amcanion ofnadwy gelyn mawr eneidiau dynion, trwy fod yn llenni tewion rhwng eu meddyliau a'r goleuni nefol, ac nid yn wydr gloyw, disglair, yn gyfryngau manteisiol i ollwng ffrydiau cryfion a thanbaid o'r llewyrch dwyfol i mewn i'w calonnau.'

Cyn gynted ag yr oedd Mr John Jones wedi eistedd, cododd Mr Elias yn ddisymwth ar ei draed, ac, mewn cyffro, dywedai, yn ei ddull ei hunan—'Er mwyn popeth, frodyr annwyl, gochelwn y tir yna. Y mae tai ein cymdogion yn myned ar dân, ac y mae rhai o'r gwreichion yn disgyn am ben ein tai ninnau. Peidiwn byth â dychmygu y gwna dim golau, pa mor gryf bynnag, yn y deall gyfnewid ansawdd y galon; na breuddwydio y gwna dim perswadio moesol o'r eiddom ni, pe baem ni yn meddu doniau angylion a dynion, effeithio byth i ladd gelyniaeth pechadur at Dduw a'i ennill i sancteiddrwydd. Am a wn i nad oes golau *angel* yn neall y diafol, ond calon *cythraul* sydd ganddo wedi'r cwbl . . .'

Yr ydym ni ein hunain yn tueddu i dybied, yn yr ychydig wahaniaeth a allai fod rhyngddynt, yn neilltuol ac edrych ar y mater o ochr neu o du y nefoedd, mai Mr Elias oedd agosaf i'r gwirionedd; a bod yn hytrach ormod o duedd, yn y sylwadau a wnelsid gan Mr John Jones, i adael megis o'r neilltu y gwahaniaeth hanfodol sydd rhwng y galon a'r deall, a'r dylanwad nerthol sydd gan ansawdd y naill ar ddirnadaeth y llall; tra, yr un pryd, ac edrych ar y cwestiwn o du y dyn, neu i amcanion ymarferol, fod gwirionedd pwysig a phwysig iawn, yn ei olygiad yntau . . .

O'r diwrnod hwnnw allan, pa fodd bynnag, fe ddaeth Mr John Jones i gael ei ystyried yn un o'r rhai a dybid oeddent yn tueddu at ryw gyfnewidiad yn syniadau athrawiaethol y Cyfundeb y perthynai iddo; er, yn sicr, nad oedd y gwahaniaeth, o leiaf eto, ond yn unig yn y wedd fwy ymarferol a roddid ganddo ef ar y gwirionedd.

Owen Thomas, *Cofiant John Jones, Talsarn*
(Wrexham, 1874), tt.233–9.